D1086565

L'ABBAYE DE NORTHANGER
(CATHERINE MORLAND)

Conception graphique :
Les 3TStudio

JANE AUSTEN

L'ABBAYE DE NORTHANGER
(Catherine Morland)

Traduit de l'anglais par Félix Fénéon

GRAND
CARACTÈRE

I

Personne qui ait jamais vu Catherine Morland dans son enfance ne l'aurait supposée née pour être une héroïne. Sa situation dans le monde, le caractère de ses parents, sa propre personne et ses aptitudes, rien ne l'y prédestinait. Bien que clergyman, son père n'était ni méprisé ni misérable ; c'était un excellent homme, bien qu'il s'appelât Richard et qu'il n'eût jamais été beau. Il avait une fortune personnelle, outre deux bons bénéfices, et il ne prétendait pas le moins du monde tenir ses filles sous clef. Mme Morland était une femme de grand sens, de bon caractère et, ce qui est plus remarquable, de bonne constitution. Elle avait eu trois fils avant la naissance de Catherine ; et, au lieu de trépasser en mettant celle-ci au monde, comme on devait s'y attendre, elle avait vécu encore, vécu pour avoir six enfants de plus, pour les voir grandir autour d'elle, et pour jouir elle-même d'une florissante santé. Une famille de dix enfants peut toujours être dite une belle famille, quand il y a assez de têtes, de bras et de jambes pour tous ; mais les Morland n'avaient guère d'autre titre à cette épithète : ils étaient en général fort ordinaires, et Catherine, plusieurs années de sa vie, fut aussi ordinaire qu'aucun d'eux. Elle était maigre et gauche, avait la peau blême, de noirs cheveux plats et de gros traits ; non plus que sa personne, son esprit ne la marquait pour la fonction d'héroïne. Elle raffolait de tous les jeux des garçons, et préférait de beaucoup le cricket, non seulement aux poupées, mais aux plus poétiques jeux de l'enfance : élever une marmotte ou un canari, arroser un rosier. En effet, elle n'avait nul goût pour les jardins, et, si elle cueillait des fleurs, c'était principalement pour le plaisir de méfaire, du moins ainsi conjecturait-on, à la voir toujours choisir celles qu'il lui était interdit de prendre. Tels étaient ses goûts ; ses aptitudes étaient non moins extraordinaires. Elle n'apprenait ou ne comprenait rien avant qu'on le lui eût enseigné – ni même après, quelquefois, car elle était inattentive souvent et volontiers stupide. Sa mère avait consacré trois mois à lui inculquer *La Prière du Mendiant*, après quoi Sally, sa sœur puînée, la récitait mieux qu'elle. Non que Catherine fût toujours stupide ; elle apprit la fable *Le Lièvre et les Amis* comme sans y penser, aussi vivement que fillette qui soit en Angleterre. Sa mère désirait qu'on lui enseignât la musique, et Catherine était persuadée qu'elle y prendrait goût, car elle avait grand plaisir à faire sonner les touches de la vieille épinette abandonnée. Elle commença à huit ans. Elle étudia une année et ne voulut pas continuer. Mme Morland, qui ne s'obstinait pas à forcer le talent de ses filles, permit qu'elle en restât là. Le jour où disparut le maître de musique fut de la vie de Catherine l'un des plus heureux. Son goût pour le dessin était médiocre ; toutefois, quand elle mettait la main sur quelque morceau de papier, elle y figurait maisons et arbres, poules et poussins ; elle ne parvenait pas, il est vrai, à différencier ces images. L'écriture et le calcul lui étaient enseignés par son père ; le français, par sa mère. Ses progrès en aucune de ces matières n'étaient remarquables, et elle s'ingéniait à esquiver les leçons. Quelle étrange, inconcevable nature ! car, avec tous ces affligeants symptômes, à dix ans elle n'avait ni mauvais cœur ni mauvais caractère, était rarement entêtée, querelleuse presque jamais, très gentille pour les petits, avec de rares moments de tyrannie. Elle était d'ailleurs turbulente et farouche, détestait la réclusion et le débarbouillage et n'aimait rien tant au monde que rouler de haut en bas de la pente gazonnée, derrière la maison.

Telle était Catherine Morland à dix ans. À quinze les apparences s'étaient améliorées ; elle commençait à se friser les cheveux et rêvait d'aller au bal ; son teint prenait de l'éclat, ses traits s'adoucissaient de rondeurs et de couleurs, ses yeux gagnaient en animation et son personnage en importance ; comme elle avait aimé se salir, elle aimait s'attifer ; elle avait maintenant le plaisir d'entendre parfois son père et sa mère remarquer ces transformations. « Catherine prend vraiment belle mine ; elle est presque jolie aujourd'hui », étaient mots qui lui frappaient l'oreille de temps en temps ; et qui étaient les bienvenus ! Paraître *presque* jolie, pour une fille qui a paru assez vilaine pendant ses quinze années premières, est plus délicieux que tout éloge que puisse jamais recevoir une fille jolie dès le berceau.

Mme Morland était une très brave femme, et qui désirait voir ses enfants aussi cultivés que possible ; mais elle employait tout son temps à mettre au monde et à élever ses petits, de sorte que ses filles aînées devaient se tirer d'affaire elles-mêmes ; et il était bien naturel que Catherine, qui n'avait point une nature d'héroïne, préférât le cricket, les barres, l'équitation et courir les champs, quand elle avait quatorze ans, aux livres, ou du moins aux livres instructifs, car, pourvu qu'aucun enseignement n'y fût inclus, pourvu qu'ils fussent pleins d'histoires et indemnes de dissertations, elle n'avait contre les livres aucune hostilité. Mais, de quinze à dix-sept ans, elle suivit un régime d'héroïne ; elle lut tels livres que doivent lire les héroïnes pour se meubler la mémoire de ces citations qui sont si commodes et si réconfortantes dans les vicissitudes de leur aventureuse vie.

De Pope, elle apprit à vitupérer ceux qui

... vont partout se moquant de l'infortune,

de Gray, que

Mainte fleur est née pour rosir inaperçue,
Et répandre sa fragrance dans l'air désert ;

de Thomson, que

... C'est une tâche exquise
D'apprendre à la jeune idée comment percer.

Et, de Shakespeare, elle acquit tout un lot d'informations : elle sut que

... Des bagatelles légères comme l'air
Sont, par le jaloux, prises au sérieux
Comme paroles de l'Écriture ;

que

La pauvre bestiole sur qui nous marchons
Éprouve d'aussi dures transes
Qu'un géant qui meurt ;

et qu'une jeune femme qui aime est toujours semblable

... à la Résignation sur un piédestal
Souriant à la Douleur.

Sur ce point sa culture était suffisante ; sur maint autre, elle approchait de la perfection ; car, si Catherine n'écrivait pas de sonnets, s'appliquait-elle à en lire ; et, quoiqu'il n'y eût pas apparence qu'elle pût, au piano, jeter en extase un public par un prélude de son cru, elle pouvait écouter sans grande fatigue la musique des gens. Où elle échouait, c'était à manier un crayon : elle n'avait nulle notion de dessin, pas même assez pour esquisser le profil de son amoureux. Là les droits qu'elle eût pu avoir à la qualité d'héroïne étaient nuls. Au surplus, elle ne connaissait pas sa misère, car elle n'avait pas d'amoureux de qui faire le portrait. Elle avait atteint dix-sept ans sans avoir vu d'aimable jeune homme qui éveillât sa sensibilité, sans avoir inspiré de réelle passion, et sans avoir provoqué d'admirations, que très modérées et bien fugaces. Voilà qui était étrange, en vérité ! Mais on peut généralement se rendre compte des choses étranges quand on en cherche avec soin la cause. Il n'y avait nul lord dans le voisinage ; pas même de baronnet. Nulle famille amie n'avait élevé un garçon inopinément trouvé sur le pas de la porte. Nul jeune homme dont l'origine fût inconnue. Son père n'avait pas de pupille, et le squire de la paroisse pas d'enfants.

Mais quand une jeune lady est destinée à être une héroïne, le caprice de cinquante familles de l'environ ne saurait prévaloir contre elle. Sur sa route, le destin doit susciter et suscitera un héros.

M. Allen, qui possédait la plupart des terres qu'entourent Fullerton, le village du Wiltshire où vivaient les Morland, fut envoyé à Bath, dont le séjour convenait mieux à sa constitution goutteuse ; et sa femme, qui aimait fort Mlle Morland, et qui probablement estimait que, si les aventures ne tombent pas sur une jeune fille dans son propre village, cette jeune fille doit les chercher ailleurs, l'invita à venir avec eux. M. et Mme Morland furent tout bonne volonté, et Catherine tout joie.

II

Au moment où Catherine Morland va être jetée dans les difficultés et les dangers d'un séjour de six semaines à Bath, et pour le cas où les pages suivantes ne parviendraient pas à documenter suffisamment le lecteur, ajoutons quelques mots à ce qui a déjà été dit sur elle : son cœur était affectueux ; son caractère, gai et ouvert, sans vanité ni affectation. Ses manières perdaient leur gaucherie effarouchée. Sa personne était avenante et, dans ses bons jours, jolie ; son intelligence à peu près aussi inculte que l'est ordinairement l'intelligence d'une fille de dix-sept ans.

On pourrait supposer que, l'heure du départ approchant, l'anxiété maternelle de Mme Morland fut très cruelle ; mille pressentiments des maux qui pouvaient résulter pour sa chère Catherine de cette terrible séparation devaient accabler son cœur et la « jeter dans les larmes », le dernier ou les deux derniers jours de leur vie en commun ; et les avis les plus topiques devaient naturellement fluer de ses lèvres sages au cours de l'entretien d'adieu, en son cabinet. Des instructions en vue de déjouer la violence de tels nobles et baronnets, qui se plaisent à enlever de vive force les jeunes femmes et les conduisent en quelque ferme isolée, devaient, en un tel moment, soulager le trop-plein de son cœur. Qui ne le penserait ? Mais Mme Morland savait si peu de chose des lords et baronnets qu'elle ne dit pas un mot de leur coutumière malfaisance et ne se méfia pas du danger que leurs machinations pouvaient faire courir à sa fille. Ses avis se restreignirent aux points suivants : « Je vous prie, Catherine, de vous envelopper toujours bien chaudement le cou, pour rentrer le soir ; et je désire que vous teniez à jour le compte de l'argent que vous dépenserez ; voici un petit livre à cet effet. »

Sally, ou plutôt Sarah (comment une jeune fille de grandes manières atteindrait-elle seize ans sans donner à son nom de tous les jours une forme plus romantique ?) doit, de par la force des choses, être en l'occurrence l'amie intime et la confidente de sa sœur. Cependant (est-ce assez remarquable !) elle ne contraignit pas Catherine à faire telles promesses solennelles : écrire par chaque poste, fournir des renseignements sur tout le monde, relater en détail les conversations entendues à Bath.

Vraiment toute chose relative à cet important voyage fut traitée par les Morland avec une modération et un calme mieux d'accord avec les usages de la vie courante qu'avec cette sensibilité affinée que devrait mettre en éveil la première séparation d'une héroïne et de sa famille. Son père, au lieu de lui ouvrir un compte illimité chez son banquier ou même de lui mettre dans la main une centaine de livres en billets de banque, lui donna seulement dix guinées et lui promit de lui envoyer d'autre argent quand elle en aurait besoin.

Sous ces modestes auspices, le voyage commença. Il fut dénué d'événements. Ni voleurs ni tempêtes n'intervinrent, ni d'accident de voiture propice à la présentation d'un héros. Rien de plus alarmant ne se produisit, qu'une crainte – savoir : si Mme Allen n'avait pas oublié ses socques dans une auberge ; et heureusement cette crainte était sans fondement.

Elles arrivèrent à Bath. Catherine était tout ardente de plaisir ; ses regards erraient ici, là, partout, émerveillés. Elle était venue pour être heureuse et elle se sentait heureuse déjà.

Elles furent bientôt installées en de confortables appartements dans Pulteney Street.

Mme Allen était de la nombreuse classe des femmes dont le commerce ne peut provoquer qu'une émotion : la surprise qu'il y ait eu des hommes capables de les aimer assez pour les épouser. Elle n'avait ni finesse, ni beauté, ni talents. Son air de femme du monde, son calme, sa bonté, d'ailleurs inerte, son esprit frivole, c'est tout ce qui pouvait expliquer qu'elle eût été élue par l'homme sensible et intelligent qu'était M. Allen. Si l'on veut, elle était admirablement apte à ce rôle de présenter dans le monde une jeune fille, car elle était, autant et plus qu'aucune jeune fille, curieuse d'aller partout et de tout voir. S'habiller était sa passion. Elle avait un très naïf plaisir à être belle.

Notre héroïne ne put faire son entrée dans la vie qu'après trois ou quatre jours : il fallait que Mme Allen s'enquît minutieusement de ce qui se portait et choisit à bon escient une robe du dernier modèle. Catherine fit aussi quelques emplettes. Et, tous ces préparatifs terminés, l'importante soirée advint où elle devait paraître à la Pump-Room. Ses cheveux s'échafaudaient le mieux du monde, et avec un soin jaloux elle avait fait sa toilette. Mme Allen et la bonne déclarèrent qu'elle était tout à fait bien. Forte d'un tel encouragement, Catherine espérait passer tout au moins sans critiques. Si elle suscitait l'admiration, tant mieux, mais son bonheur n'en dépendait pas.

Mme Allen fut si longue à s'habiller qu'elles n'entrèrent que tard à Pump-Room. La saison était en son plein. Les deux femmes se faufilèrent à travers la foule, tant bien que mal. Quant à M. Allen, il se réfugia d'emblée dans la salle de jeu, les abandonnant aux délices de la cohue. Avec plus de souci de sa toilette que de sa protégée, Mme Allen se frayait un chemin, aussi vite que le permettait la prudence, parmi la multitude qui obstruait la porte. Catherine serrait trop fort le bras de son amie pour que le remous d'une assemblée en lutte parvînt à les séparer.

Mais, à sa grande stupéfaction, elle constata que s'avancer dans la salle n'était point du tout le moyen de se dégager de la foule. Celle-ci, d'instant en instant, semblait accrue. Une fois la porte passée, on trouverait aisément des sièges et l'on pourrait voir commodément les danses : cela – qu'elle s'était imaginé – ne correspondait nullement à la réalité. Avec une application opiniâtre, elles avaient atteint l'autre extrémité de la salle, et pourtant la situation ne changeait pas : des danseurs elles ne voyaient rien, que les hautes plumes de quelques dames. Elles se remirent en marche : justement elles venaient de découvrir, dans le lointain, une place convenable. Par force et par ruse elles y parvinrent, et les voilà maintenant au haut de gradins, d'où Mlle Morland, dominant la foule, se rendait compte des dangers de son récent passage à travers elle. Spectacle splendide, et, pour la première fois, elle commença à se sentir dans un bal. Elle avait grande envie de danser, mais ne connaissait personne. Mme Allen fit tout ce qu'elle pouvait faire en pareil cas ; de temps en temps, elle proférait, d'un ton détaché : « Je voudrais vous voir danser, ma chère ; je voudrais que vous trouviez un cavalier. » D'abord sa jeune amie se sentit reconnaissante de ces vœux : mais ils furent si souvent répétés, et prouvés si totalement inutiles, qu'à la fin Catherine s'en fatigua et n'eut plus envie de remercier.

Elles ne purent jouir longtemps de la position éminente qu'elles avaient si industrieusement gagnée. On se mit bientôt en mouvement pour le thé, et elles durent faire comme tout le monde. Catherine commençait à éprouver quelque désappointement – elle était lasse d'être sans cesse pressée entre des gens, sans même qu'elle pût atténuer l'ennui de son emprisonnement en échangeant une syllabe avec aucun de ses anonymes compagnons de captivité ; et quand, à la fin, elle fut dans la salle où l'on prenait le thé, elle sentit plus encore la détresse de n'avoir pas de société à rejoindre, aucune personne de connaissance à appeler, nul gentleman à qui demander secours. De M. Allen elles ne virent pas l'ombre, et, après avoir vraiment cherché à l'entour une place plus commode, elles se résignèrent à s'asseoir au bout d'une table où une nombreuse société s'était installée déjà, sans qu'elles eussent là rien à faire, sans qu'elles eussent à qui parler, sauf l'une à l'autre.

Dès assises, Mme Allen se félicita d'avoir préservé sa robe de tout dommage.

— Il eût été affreux de la déchirer, n'est-ce pas ? C'est une mousseline si délicate. Pour ma part, je n'ai vu dans la salle rien qui me plût autant, je vous assure.

— Comme c'est gênant, soupira Catherine, de n'avoir pas une seule connaissance ici…

— Oui, ma chère, reprit Mme Allen, avec une parfaite sérénité. C'est très fâcheux, en effet.

— Que faire ? Les messieurs qui sont à cette table et les dames nous regardent comme étonnés de nous voir là ; nous semblons nous introduire dans leur société.

— Et c'est bien ce que nous faisons. Que c'est donc désagréable ! Je souhaiterais que nous eussions beaucoup de connaissances ici.

— Je voudrais que nous en eussions une : ce serait quelqu'un vers qui aller.

— Très vrai, ma chère ; et si nous connaissions quelqu'un, n'importe qui, nous le rejoindrions immédiatement. Les Skinner étaient ici l'an dernier : je souhaiterais qu'ils fussent ici maintenant.

— Ne ferions-nous pas mieux de nous en aller ? Vous voyez qu'il n'y a pas ici de tasse de thé pour nous.

— Il n'y en a plus, en effet. Comme c'est contrariant ! Mais je pense qu'il vaut mieux que nous restions tranquilles : on est si ballotté dans une telle foule. Ma coiffure, dans quel état est-elle, ma chère ? Quelqu'un m'a donné un coup qui l'aura dérangée, j'en ai peur.

— Non, vraiment, elle est très bien. Mais, chère madame Allen, êtes-vous sûre qu'il n'y ait personne que vous connaissiez, dans cette multitude de gens ? Je suis persuadée que vous devez connaître quelqu'un.

— Non, sur ma parole. Je souhaiterais connaître quelqu'un. De tout mon cœur je souhaiterais avoir beaucoup de connaissances ici, et alors je vous trouverais un partenaire. Je serais si heureuse que vous dansiez. Voyez ! voyez cette femme. Quelle toilette baroque ! une toilette si démodée ! Regardez-la par derrière.

Du temps passa, puis un de leurs voisins leur offrit du thé, ce qui fut accepté avec reconnaissance, et elles échangèrent quelques mots avec le courtois monsieur. De toute la soirée, ç'avait été le seul moment où quelqu'un leur eût adressé la parole, quand enfin, le bal fini, elles furent découvertes et rejointes par M. Allen.

— Eh bien ! miss Morland ? dit-il aussitôt. J'espère que le bal vous aura paru agréable.

— Très agréable, en effet, répondit-elle, essayant en vain de réprimer un bâillement.

— J'aurais voulu qu'elle pût danser, dit Mme Allen. J'aurais voulu que nous pussions trouver un danseur pour elle. J'ai dit combien j'aurais été heureuse si les Skinner eussent été là cet hiver plutôt que l'hiver dernier ; ou si les Parry étaient venus, comme ils en avaient parlé un jour. Elle aurait pu danser avec George Parry. Je suis si triste qu'elle n'ait pas eu de cavalier !

— Nous aurons plus de chance un autre soir, j'espère, dit M. Allen en manière de consolation.

La foule diminuait. Maintenant on pouvait circuler avec plus d'aisance. Et, pour une héroïne qui n'avait pas encore joué un rôle très distinct dans les événements de la soirée, le moment était venu d'être en relief. De cinq en cinq minutes, grâce aux déplacements de la foule, s'accroissaient les chances de succès de Catherine. Maints jeunes gens la pouvaient regarder, qui, dans la foule, ne l'avaient vue. Aucun cependant ne tressaillit d'un étonnement enthousiaste. Nul murmure de questions empressées ne se propagea. Et personne ne l'appela une déité. Pourtant Catherine était très « à son avantage ». Qui l'eût vue trois ans auparavant l'aurait trouvée maintenant fort belle.

On la regarda cependant, et avec quelque admiration, car, à portée de son oreille, deux messieurs la déclarèrent une jolie fille. Ces mots eurent un effet magique. Immédiatement elle jugea la soirée plus gaie ; sa petite vanité était satisfaite ; elle se sentit plus reconnaissante envers les deux jeunes gens pour cette simple louange, qu'une héroïne de qualité l'eût été pour quinze sonnets célébrant ses charmes, et elle alla vers sa voiture, réconciliée avec tout le monde et parfaitement satisfaite de la part d'attention que lui avait accordée le public.

III

Chaque jour avait maintenant son cortège de devoirs réguliers : visiter les magasins, voir quelque nouvelle partie de la ville, passer une heure à la Pump-Room, où elles regardaient tout le monde et ne parlaient à personne.

Mme Allen ne se lassait pas de formuler son désir d'avoir à Bath de nombreuses relations, quoique l'expérience lui prouvât quotidiennement qu'elle n'y connaissait personne.

Elles firent leur apparition aux Lower Rooms et, cette fois, la fortune fut plus favorable à notre héroïne. Le maître des cérémonies lui présenta comme danseur un jeune homme très distingué. Il s'appelait Tilney. Vingt-quatre ou vingt-cinq ans, grand, la figure agréable, l'œil très intelligent et vif, les façons courtoises, – un jeune homme, sinon tout à fait beau, très près de l'être. Catherine était enchantée. Ils causèrent peu en dansant. Mais, quand ils se furent assis pour prendre le thé, il se montra tel qu'elle s'était imaginé qu'il fût : il parlait avec facilité, et, dans sa manière, il y avait une finesse et un enjouement qui impressionnaient Catherine. Après avoir parlé de ce qu'ils voyaient autour d'eux, il lui dit tout à coup :

— Jusqu'ici, mademoiselle, j'ai manqué à tous les devoirs d'un danseur : je ne vous ai pas encore demandé tout ensemble depuis combien de temps vous êtes à Bath, si vous vîntes jamais ici auparavant, si vous avez été aux Upper Rooms, au théâtre, au concert et si vous aimez cette ville. C'est impardonnable. Mais vous plairait-il maintenant de me satisfaire sur ces points ? S'il en est ainsi, je commence.

— Ne vous mettez pas en peine de cela, monsieur.

— Ce n'est pas une peine, je vous assure, mademoiselle.

Alors, composant sa physionomie et adoucissant sa voix, il reprit précieusement :

— Êtes-vous depuis longtemps à Bath, mademoiselle ?

— Depuis une semaine environ, monsieur, répondit Catherine, s'efforçant de ne pas rire.

— Vraiment ! (avec un étonnement joué).

— Quoi d'étonnant ?

— En effet, quoi ? dit-il, de son ton naturel. Mais il sied que je paraisse éprouver une certaine émotion à votre réponse ; la surprise est plus facilement traduisible et non moins en situation que tout autre sentiment. Poursuivons. Vîntes-vous jamais ici auparavant, mademoiselle ?

— Jamais, monsieur.

— Vraiment ! Avez-vous honoré les Upper Rooms de votre présence ?

— Oui, monsieur. J'y étais lundi.

— Avez-vous été au théâtre ?

— Oui, monsieur. Mardi.

— Au concert ?

— Oui, monsieur. Mercredi.

— Bath vous plaît-il ?

— Oui, beaucoup.

— Maintenant il convient que je sourie avec plus d'affectation. Et ensuite nous pourrons redevenir naturels.

Catherine détourna la tête, ne sachant si elle pouvait se hasarder à rire.

— Je vois ce que vous pensez de moi, dit-il gravement. Je ferai piètre figure dans votre journal de demain.

— Mon journal !

— Oui, je sais exactement ce que vous direz : « Vendredi, allai aux Lower Rooms. Avais mis ma robe de mousseline à fleurs garnie de bleu, des souliers noirs. Étais très à mon avantage. Mais fus étrangement harcelée par un olibrius qui voulut danser avec moi et dont l'absurdité m'affligea fort. »

— Certainement, je ne dirai pas cela.

— Vous dirai-je ce que vous devriez dire ?

— Je vous en prie.

— « Dansé avec un jeune homme très aimable présenté par M. King. Causé beaucoup avec lui. Semble un homme exceptionnel. Espère savoir davantage de lui. » Voilà, mademoiselle, ce que je souhaite que vous disiez.

— Mais, peut-être, je ne tiens pas de journal.

— Peut-être n'êtes-vous pas assise en cette salle et ne suis-je pas assis auprès de vous. Ce sont là points où le doute est également licite. Ne pas tenir de journal ! Comment les cousines dont vous êtes séparée feront-elles pour suivre le cours de votre vie à Bath, sans journal ? Comment vous rappeler les robes que vous aurez portées, comment décrire l'état de votre âme et celui de votre chevelure en toute leur diversité, si vous ne pouvez vous référer constamment à un journal ? Ma chère mademoiselle, je ne suis pas aussi ignorant que vous semblez croire de ce que font les jeunes filles... Tout le monde reconnaît que le talent d'écrire une lettre est particulièrement féminin ; la nature peut y être pour quelque chose ; mais, j'en suis certain, elle est puissamment aidée par cette charmante habitude qu'ont les femmes de tenir un journal.

— Je me suis quelquefois demandé, dit Catherine en hésitant, si vraiment les femmes écrivent une lettre beaucoup mieux que les hommes... c'est-à-dire... Je ne crois pas que la supériorité soit toujours de notre côté.

— Autant que j'en ai pu juger, il me semble que le style ordinaire des lettres de femme est sans défaut, sauf trois choses.

— Et qui sont ?

— La ténuité du sujet, un total insouci de la ponctuation et une méconnaissance fréquente de la grammaire.

— Sur ma parole, je n'avais pas à avoir peur en désavouant le compliment ! Vous n'avez pas une trop haute opinion de nous sur ce point.

— Je ne dirai pas que les femmes écrivent mieux une lettre, pas plus que je ne dirais qu'elles chantent mieux un duo ou dessinent mieux le paysage. Dans toute chose qui dépend du goût, le mérite est à peu près également réparti entre les sexes.

Ils furent interrompus par Mme Allen.

— Ma chère Catherine, dit-elle, retirez cette épingle de ma manche, je crains qu'elle y ait déjà fait une déchirure. J'en serais désolée. C'est une de mes robes préférées, quoiqu'elle ne coûte que neuf shillings le yard.

— C'est précisément le prix que je pensais, madame, dit M. Tilney en regardant la mousseline.

— Vous entendez-vous en mousselines, monsieur ?

— Particulièrement. J'achète toujours mes cravates et je suis réputé un excellent juge. Souvent ma sœur s'est fiée à moi pour le choix d'une robe. Je lui en ai acheté une l'autre jour et qui a été déclarée une prodigieuse occasion par toutes les dames qui l'ont vue. Je ne la payai que cinq shillings le yard... et une mousseline de l'Inde véritable.

Mme Allen était émerveillée de tant de génie.

— Ordinairement les hommes s'occupent si peu de ces choses ! dit-elle. M. Allen est bien incapable de distinguer mes robes les unes des autres. Vous devez être à votre sœur d'un grand secours, monsieur.

— J'ose croire, madame.

— Et, dites-moi, monsieur, que pensez-vous de la robe de miss Morland ?

— Très jolie, madame, dit-il en l'examinant gravement ; mais je ne crois pas qu'elle se lave bien ; je crains qu'elle s'éraille.

— Comment pouvez-vous, dit Catherine en riant, être si… ? (Elle avait presque dit : bizarre.)

— Je suis tout à fait de votre avis, monsieur, répondit Mme Allen, et je l'ai dit à Mlle Morland quand elle l'a achetée.

— Mais vous savez, madame, que la mousseline peut toujours être utilisée. Mlle Morland trouvera bien là de quoi se faire un fichu, un chapeau ou un voile. La mousseline trouve toujours son emploi. J'ai entendu dire cela quarante fois par ma sœur quand elle en achetait trop ou qu'elle l'avait coupée maladroitement.

— Bath est un lieu charmant, monsieur. Il y a tant de beaux magasins ici. Nous sommes tristement loin de tout, dans la campagne. Sans doute, il y a des magasins fort bien approvisionnés à Salisbury, mais c'est si loin de chez nous ! Huit milles, c'est un long chemin. M. Allen prétend qu'il y en a neuf, neuf mesurés ; mais je suis sûre qu'il ne peut y en avoir plus de huit, et c'est encore un joli ruban ! Je rentre fatiguée à mort. Ici, une fois dehors, nous pouvons faire nos achats en cinq minutes.

M. Tilney était trop courtois pour ne point paraître s'intéresser à ce qu'elle disait, et elle le tint sur la question des mousselines jusqu'à ce que la danse recommençât. Catherine, qui écoutait leur conversation, eut peur qu'il s'amusât un peu trop des faiblesses d'autrui.

— À quoi pensez-vous, si grave ? dit-il, comme ils rentraient dans la salle de bal. À rien qui concerne votre danseur, j'espère, car, à en juger par votre hochement de tête, vos méditations sont sévères.

Catherine rougit et dit :

— Je ne pensais à rien.

— Voilà qui est habile et profond. Répondez-moi que vous ne voulez pas me le dire. J'aimerais mieux cela.

— Bien. Alors, je ne veux pas.

— Merci. J'ai maintenant le droit de vous taquiner quelquefois. Rien ne fait autant que la taquinerie progresser l'amitié.

Ils dansèrent de nouveau. La soirée finie, ils se quittèrent avec un vif désir de se revoir, du moins, ce désir, Catherine l'avait-elle.

Je n'affirmerai pas qu'en buvant son grog au vin et en faisant sa toilette de nuit, Catherine ait pensé à M. Tilney assez pour en rêver, ou alors je veux croire que c'était en un demi-sommeil :

car, s'il est vrai, comme l'a prétendu un écrivain célèbre, qu'une jeune fille ne puisse décemment tomber amoureuse avant que le gentleman se soit déclaré, il doit être fort inconvenant qu'elle rêve du gentleman avant que l'on sache qu'il ait rêvé d'elle.

Que M. Tilney fût apte au rôle de rêveur ou d'amoureux, cela n'avait pas encore préoccupé M. Allen. Toutefois, il avait jugé à propos de se renseigner, au commencement de la soirée, sur ce jeune homme, qui dansait avec Catherine : il avait appris que M. Tilney était un clergyman, et d'une très respectable, famille du Gloucestershire.

IV

Le lendemain, Catherine se hâta plus encore qu'à l'ordinaire vers la Pump-Room, avec la certitude intime d'y voir M. Tilney avant que la matinée fût passée, et prête à le saluer d'un sourire ; mais nul sourire ne fut requis – M. Tilney ne parut pas. Tous les êtres de Bath, sauf lui, furent visibles là, aux diverses minutes de ces heures fashionables ; des gens, abondamment, allaient et venaient, montaient les degrés, les descendaient, des gens dont nul n'avait souci et que personne ne souhaitait voir : il était absent.

— Charmant, ce Bath ! dit Mme Allen, comme elles s'asseyaient sous la grande horloge, harassées d'avoir paradé, et combien ce serait gai si nous avions ici des connaissances !

Cette confiance en la gaîté éventuelle de Bath avait été formulée si souvent et en vain, qu'il n'y avait plus aucune raison de croire que l'événement vînt la justifier jamais. Mais il faut :

Ne jamais désespérer de ce qu'on veut atteindre :

Par une application infatigable nous toucherons le but.

Et son infatigable application à faire chaque jour des vœux pour une même chose devait, à la longue, avoir sa juste récompense. À peine était-elle assise depuis dix minutes, qu'une dame, qui, assise près d'elle, l'avait regardée avec grande attention, lui dit fort aimablement :

— Je crois, madame, ne pas me tromper ; il y a longtemps que je n'ai eu le plaisir de vous voir, mais n'êtes-vous pas madame Allen ?

Quand il eut été répondu affirmativement, l'étrangère prononça son nom, Thorpe, et Mme Allen, à l'instant même, reconnut les traits d'une de ses compagnes de classe, autrefois son intime amie. Elles ne s'étaient vues qu'une seule fois depuis leur mariage respectif, et ce n'était pas récent. Leur joie de se rencontrer fut débordante, comme il est naturel entre personnes qui se sont fort bien passées de rien savoir l'une de l'autre pendant quinze ans. Des compliments – quelle bonne mine vous avez ! etc. – furent échangés, puis, après diverses considérations, sur l'inattendu de cette rencontre à Bath et le plaisir de retrouver une ancienne amie, elles se posèrent mutuellement des questions et elles se répondirent, parlant toutes les deux à la fois, beaucoup plus pressées de donner des détails que d'en recevoir, et chacune bien close à ce que disait l'autre. Mme Thorpe cependant avait sur Mme Allen un grand avantage comme oratrice : elle disposait d'une populeuse famille ; et elle s'étendit sur les talents de ses fils et la beauté de ses filles, exposa leur situation dans la vie, leurs projets, spécifia que John était à Oxford, Edward à « Merchant Taylor's », William sur les mers, plus aimés, plus respectés dans leurs différents rôles qu'aucun autre trio d'êtres n'importe où, cependant que Mme Allen, n'ayant aucune information sensationnelle à imposer à l'oreille mal disposée et incrédule de son amie, était forcée de rester là et de paraître s'intéresser à ces effusions maternelles, se consolant toutefois à cette découverte, que ses yeux perspicaces eurent tôt faite, que la pelisse de Mme Thorpe était beaucoup moins belle que la sienne.

— Voilà mes chères filles, s'écria Mme Thorpe, en désignant trois accortes jeunes personnes qui, bras dessus, bras dessous, se dirigeaient vers elle. Ma chère madame Allen, il me tarde de vous les présenter ; elles seront si joyeuses de vous voir ! La plus grande est Isabelle, mon aînée. N'est-ce pas là une belle fille ? On admire aussi beaucoup les autres, mais je crois Isabelle la plus belle.

Les demoiselles Thorpe furent présentées, et Mlle Morland, qui d'abord avait été omise, fut présentée aussi. Le nom sembla les frapper toutes, et l'aînée des jeunes filles fit tout haut cette remarque :

— Comme miss Morland ressemble à son frère !

— C'est, en vérité, son portrait ! s'écria la mère.

— Partout, je l'aurais devinée la sœur de M. Morland, ajouta la fille.

Et toute la troupe reprit ces observations en chœur. L'ébahissement de Catherine fut de brève durée : déjà Mme Thorpe et ses filles entamaient l'histoire de leurs relations avec M. James Morland. Catherine se souvint que son frère aîné s'était récemment lié d'amitié avec un de ses condisciples du nom de Thorpe, et avait passé chez les Thorpe, aux environs de Londres, la dernière semaine des vacances de Noël.

Tout s'élucidait. Force choses aimables furent dites par les demoiselles Thorpe : leur désir de se lier avec Catherine, l'agrément de se considérer déjà comme ses amies à la faveur de l'amitié qui unissait les frères, etc. Catherine entendit tout cela avec plaisir et y répondit le mieux qu'elle put. En marque de sympathie, l'aînée des demoiselles Thorpe lui offrit le bras, et elles firent de concert un tour dans la salle. Catherine était enchantée de l'extension de ses connaissances. À parler à Mlle Thorpe, elle oubliait presque M. Tilney, – tant l'amitié est un baume aux souffrances de l'amour déçu.

La conversation roula sur ces sujets qui favorisent si bien la naissance de l'intimité entre des jeunes filles : toilettes, bals, flirts, etc. Mlle Thorpe, de quatre ans plus âgée que Mlle Morland et plus expérimentée de quatre ans au moins, avait un avantage très marqué sur son interlocutrice. Elle pouvait comparer les bals de Bath à ceux de Tunbridge, les modes de Bath aux modes de Londres, rectifier les opinions de sa nouvelle amie sur l'esthétique du costume, découvrir un flirt sur l'indice d'un sourire, saisir une plaisanterie au vol. Ces talents reçurent bel accueil de Catherine, pour qui ils avaient l'attrait du nouveau, et elle manifesta une manière d'admiration qui eût été peu conciliable avec la familiarité si, d'ailleurs, la gaîté facile de Mlle Thorpe et sa cordialité n'eussent proscrit tout autre sentiment que la sympathie. Une demi-douzaine de tours dans la Pump-Room ne pouvaient suffire à satisfaire leur amitié croissante : au départ, Mlle Thorpe fut donc invitée à accompagner Mlle Morland jusqu'à la maison Allen. Là elles se séparèrent sur une poignée de main qu'elles prolongèrent affectueusement pour avoir appris qu'elles se verraient au théâtre, ce soir, et prieraient dans la même chapelle, le lendemain matin.

Catherine monta rapidement l'escalier, et, de la fenêtre du salon, regarda Mlle Thorpe descendre la rue. Elle admirait la grâce spirituelle de sa démarche, son air fashionable, et elle éprouva quelque reconnaissance envers le destin à qui elle devait une telle amie.

Mme Thorpe était une veuve sans grande fortune, une brave femme, une mère indulgente. Sa fille aînée était fort belle, et ses autres filles – qui se targuaient de l'être non moins – imitaient les manières de l'aînée et s'habillaient dans le même style, en quoi elles avaient bien raison.

Ce compendium remplacera à souhait tel copieux récit qui eût, dans les trois ou quatre chapitres suivants, relaté les aventures et les déboires passés de Mme Thorpe, l'indignité à son égard des lords et des attorneys et ses bavardages lointainement rétrospectifs.

V

Au théâtre, ce soir-là, Catherine n'était pas tellement occupée à écouter la pièce et à répondre aux signes de tête et sourires de Mlle Thorpe qu'elle négligeât d'inspecter, en l'honneur de M. Tilney, toutes les loges que pouvait atteindre son regard inquisiteur ; en vain – M. Tilney dédaignait le théâtre, comme la Pump-Room. Elle espérait être plus heureuse le jour suivant : et quand, le lendemain matin, elle vit le soleil réaliser ses souhaits de beau temps, elle ne douta guère de la réussite de son autre souhait ; car un beau dimanche à Bath vide toutes les maisons de leurs habitants, et chacun en profite pour se promener et pour dire aux personnes de sa connaissance :

« Ah ! qu'il fait donc beau ! »

Dès la fin du service divin, les Thorpe et les Allen se rejoignirent allégrement ; et, après avoir stationné à la Pump-Room le temps de découvrir que la foule y était insupportable et qu'il n'y avait pas là un gentil visage à voir, ce que chacun découvrait chaque dimanche de la saison, ils se hâtèrent d'aller au Crescent respirer l'air frais d'une meilleure compagnie. Là, Catherine et Isabelle, bras dessus, bras dessous, goûtèrent de nouveau les douceurs de l'amitié, en une conversation sans contrainte. Elles parlèrent beaucoup et joyeusement ; mais, de nouveau, Catherine fut déçue dans son espoir de retrouver son partenaire : on ne le rencontrait nulle part. Toutes les recherches furent également infructueuses, aux flâneries du matin, aux réunions du soir ; ni aux Upper Rooms ni aux Lower Rooms, aux bals parés, aux bals tout court, on n'en voyait trace ; ni parmi les promeneurs, les cavaliers, les conducteurs de cabriolets de la matinée. Son nom n'était pas sur les registres de la Pump-Room, et toute curiosité échouait. Il devait avoir quitté Bath ; pourtant il n'avait pas dit que son séjour dût être si court. Cette sorte de mystère, toujours si seyante à un héros, magnifia sa personne et ses manières dans l'imagination de Catherine et aviva son désir de le connaître mieux. Par les Thorpe elle ne pouvait rien apprendre, car ils n'étaient à Bath que depuis deux jours quand ils avaient rencontré Mme Allen. C'était toutefois un sujet dont elle s'entretenait souvent avec son amie, de qui elle recevait tous les encouragements possibles de penser à lui : l'impression laissée en son esprit par M. Tilney ne risquait donc pas de pâlir. Isabelle était convaincue que ce devait être un charmant jeune homme ; elle était non moins convaincue qu'il devait être épris de Catherine et que, par conséquent, il reviendrait bientôt. Elle lui savait gré d'être un clergyman, « car elle devait confesser sa sympathie pour l'Église » ; et quelque chose comme un soupir lui échappait tandis qu'elle disait cela. Peut-être Catherine avait-elle tort de ne pas lui demander la cause de cette gentille émotion, mais elle n'était pas assez au fait des finesses de l'amour et des devoirs de l'amitié pour savoir quand une délicate raillerie est en situation, ou quand il convient de forcer une confidence.

Mme Allen était maintenant tout à fait satisfaite de Bath. Elle avait trouvé des relations et, par fortune, dans la famille d'une ancienne amie chère entre toutes ; et, comble de chance, ces dames étaient loin d'être aussi somptueusement nippées qu'elle. Son cri quotidien : « Que je voudrais donc avoir des relations à Bath ! », était devenu : « Quel bonheur que nous connaissions Mme Thorpe ! » et elle était aussi empressée à provoquer la rencontre des deux familles que pouvaient l'être Catherine et Isabelle mêmes ; jamais satisfaite de sa journée si elle n'en avait consacré la majeure part, auprès de Mme Thorpe, à ce qu'elle appelait une conversation et qui n'était presque jamais un échange d'opinions et souvent n'avait pas même de sujet commun, car Mme Thorpe parlait principalement de ses enfants et Mme Allen de ses robes.

Les progrès de l'amitié de Catherine et d'Isabelle furent rapides comme son début avait été chaleureux. Elles brûlèrent les étapes. Elles s'appelaient par leur nom de baptême, se donnaient toujours le bras à la promenade, s'épinglaient leur traîne avant la danse et, dans les quadrilles, ne voulaient jamais se séparer. Quand il faisait mauvais temps, elles se réunissaient encore, au mépris de la pluie et de la boue, et s'enfermaient pour lire ensemble des romans. Oui, des romans ; car je ne donne pas dans cette mesquine et maladroite habitude qu'ont les auteurs de romans de déprécier, par leur blâme, toute une catégorie d'œuvres dont ils ont eux-mêmes accru le nombre : se joignant à leurs ennemis pour décerner les plus rogues épithètes à ces œuvres-là et n'en permettant presque jamais la lecture à leur héroïne qui, si elle ouvre par hasard un roman, ne fera certainement que le feuilleter, et avec dégoût. Las ! si l'héroïne d'un roman n'est pas patronnée par l'héroïne d'un autre roman, de qui pourra-t-elle attendre protection et égards ? Laissons aux rédacteurs de revues le soin d'incriminer toute effusion d'imagination et de déplorer, sur un mode marmiteux, les riens qui font maintenant gémir les presses. Ne désertons pas notre propre cause. Nous sommes une caste fort décriée. Par vanité, ignorance ou mode, nos ennemis sont presque aussi nombreux que nos lecteurs ; et, tandis que les prestiges du 900e abréviateur de l'« Histoire d'Angleterre » ou ceux du monsieur qui réunit et publie douze vers de Milton, de Pope, de Prior, avec un morceau du *Spectateur* et un chapitre de Sterne, sont exaltés par mille plumes, il semble qu'il y ait un souci presque général de contester l'importance et de sous-évaluer le travail du romancier, bref, mépriser des œuvres qui ne se recommandent que par de l'invention, de l'esprit et du goût. « Je ne suis pas un liseur de romans ; un coup d'œil à peine aux romans ; ne vous imaginez pas que je lise souvent des romans ; ce n'est vraiment pas mal pour un roman. » Tel est le jargon en usage.

— Et que lisez-vous, miss *** ?

— Oh ! ce n'est qu'un roman ! réplique la jeune personne, en laissant tomber son livre avec une indifférence affectée ou quelque honte. Ce n'est que *Cécile*, ou *Camille*, ou *Bélinde* : c'est seulement une œuvre dans laquelle les plus belles facultés de l'esprit sont prodiguées et qui offre au monde, en un langage de choix, la plus complète science de la nature humaine, la plus heureuse image de ses variétés, les plus vives effusions d'esprit et d'humour. Mais, qu'elle eût été aux prises avec un volume du *Spectateur*, combien orgueilleusement elle eût produit le livre, et proclamé son titre ! quoiqu'il soit peu probable qu'une jeune personne de goût puisse ne pas être rebutée par le sujet et le style de cette volumineuse publication où sont colligés surtout des anecdotes improbables, des traits de caractère extravagants, des thèmes de conversation qui ne concernent plus âme qui vive, le tout en un langage dont la fréquente grossièreté est peu faite pour donner une idée flatteuse du temps qui la supporta.

VI

La conversation suivante, qui eut lieu entre les deux jeunes filles à la Pump-Room, un matin, huit ou neuf jours après qu'elles eurent fait connaissance, documentera le lecteur sur leur amitié, leur délicatesse, leur jugement, la spécialité de leur manière de penser et leur goût littéraire.

Elles s'étaient donné rendez-vous, et, comme Isabelle était arrivée cinq minutes avant son amie, ses premières paroles furent, naturellement :

— Ma chère âme, qu'avez-vous donc fait ? Je vous attends depuis un siècle.

— Vraiment ? J'en suis toute triste. Mais je croyais arriver à temps. Il est une heure juste. J'espère que vous n'êtes pas là depuis longtemps…

— Oh ! dix siècles au moins. Certainement, je suis ici depuis une demi-heure. Allons nous asseoir à l'autre bout de la salle. J'ai cent choses à vous dire. D'abord, j'ai eu très peur qu'il plût ce matin. Au moment où je sortais, le ciel était fort menaçant, et cela m'a mise dans des angoisses… Vous savez, j'ai vu le plus joli chapeau qu'on puisse imaginer, à la vitrine d'un magasin de Milsom Street, très semblable au vôtre, mais avec des rubans coquelicot et non pas verts ; j'en ai une envie folle… Ma chère Catherine, qu'avez-vous fait, toute cette matinée ? Avez-vous continué *Les Mystères d'Udolphe* ?

— Oui. Je n'ai pas cessé de lire depuis mon réveil. J'en suis au voile noir.

— Vraiment ? Est-ce assez délicieux ? Oh ! Je ne vous dirais pour rien au monde ce qu'il y a derrière le voile noir. N'êtes-vous pas enragée de le savoir ?

— Oh ! oui, tout à fait. Qu'est-ce que cela peut bien être… Ne me le dites pas ! Je ne veux pas que vous me disiez quoi que ce soit. Je sais que ce doit être un squelette. Je suis sûre que c'est le squelette de Laurentine. Oh ! ce livre fait mes délices. Je voudrais passer toute ma vie à le lire, je vous assure. N'eût été le désir de vous voir, rien n'aurait pu me le faire laisser.

— Chère âme, comme je vous suis reconnaissante ! Et quand vous aurez fini *Udolphe,* nous lirons ensemble *L'Italien.* J'ai fait pour vous une liste de dix ou douze ouvrages du même genre.

— Vrai ! Oh ! que je suis contente ! Et quels titres ?

— Je vais vous les lire. Ils sont sur mon carnet... *Le Château de Wolfenbach, Clermont, Avertissements mystérieux, Le Nécromant de la Forêt-Noire, La Cloche de Minuit, L'Orphelin du Rhin* et *Horribles Mystères.* Nous en avons pour quelque temps.

— Tant mieux ! Mais sont-ils tous terribles ? Êtes-vous sûre qu'ils soient tous terribles ?

— Tout à fait sûre, car une de mes amies intimes, Mlle Andrews, une exquise fille, une des plus exquises créatures du monde, les a tous lus. Je voudrais que vous connussiez Mlle Andrews : vous seriez charmée. Elle a fait elle-même le plus exquis manteau que vous puissiez rêver. Je la trouve belle comme un ange, et je suis si irritée contre ceux qui ne l'admirent pas... et je les querelle tous furieusement pour cela.

— Les quereller ? Vous les querellez parce qu'ils ne l'admirent pas.

— Oui. Il n'est rien que je ne fasse pour ceux qui sont réellement mes amis. Je ne peux aimer quelqu'un à moitié. Ce n'est pas dans ma nature.

Mes attachements sont toujours très forts. A l'une des réunions de cet hiver, je disais au capitaine Hunt que je ne danserais pas avec lui, à moins qu'il ne convint que Mlle Andrews était belle comme un ange. Vous savez… les hommes nous croient incapables de véritable amitié. Mais je suis décidée à leur prouver le contraire. S'il m'arrivait maintenant d'entendre quelqu'un parler de vous avec peu d'égards, je m'emporterais comme une soupe au lait. Mais ce n'est pas du tout à craindre, car vous êtes précisément du genre de jeunes filles qui plaît aux hommes.

— Oh ! chère ! s'écria Catherine rougissante. Comment pouvez-vous dire cela ?

— Je vous connais très bien. Vous avez tant d'animation… ce qui justement fait défaut à Mlle Andrews. Je dois l'avouer, il y a en elle quelque chose d'étonnamment insipide. Oh ! que je vous dise… Comme nous nous quittions hier, j'ai vu un jeune homme qui vous regardait avec insistance. Je suis sûre qu'il est amoureux de vous.

Catherine de nouveau rougit et protesta. Isabelle riait.

— C'est très vrai, sur mon honneur ! Mais je vois ce qu'il en est : vous êtes indifférente aux suffrages, sauf à celui de quelqu'un que nous ne nommerons pas. Je ne puis vous blâmer. (Et Isabelle devint grave.) Je comprends vos sentiments. Quand on a le cœur pris, je sais combien on est peu sensible à l'attention des gens. Tout est si insipide, si dénué d'intérêt qui ne se rapporte pas à l'objet aimé… Je comprends parfaitement vos sentiments.

— Mais vous ne me persuaderez pas que je pense tant à M. Tilney. Peut-être ne le reverrai-je jamais.

— Ne pas le revoir, ma chère amie ! Ne dites pas cela. Je suis sûre que cette pensée vous rendrait malheureuse.

— Mais non. Je ne veux pas dire que je ne me plaisais pas beaucoup en sa compagnie : mais, quand je lis *Udolphe* ! il me semble que rien ne peut me rendre malheureuse. Oh ! le terrible voile noir ! Ma chère Isabelle, je suis certaine qu'il cache le squelette de Laurentine.

— Il me paraît si étonnant que vous n'ayez jamais lu *Udolphe* ! Mais peut-être Mme Morland est-elle hostile aux romans ?

— Non pas. Très souvent elle lit *Sir Charles Grandison*. Mais les livres nouveaux n'arrivent pas jusqu'à nous.

— *Sir Charles Grandison*, c'est un livre étonnamment ennuyeux, n'est-ce pas ? Je me souviens que Mlle Andrews ne put lire le premier volume jusqu'au bout.

— Cela ne ressemble guère à *Udolphe*. Cependant je crois que c'est très intéressant.

— Vous croyez ? Vous m'étonnez. J'imaginais que ce n'était pas lisible. Mais, ma chère Catherine, savez-vous déjà ce que vous mettrez ce soir ? J'ai résolu, en tous cas, de m'habiller exactement comme vous. Les hommes remarquent cela quelquefois, vous savez…

— Quelle importance cela a-t-il ? dit très innocemment Catherine.

— Quelle importance ?… cieux ! Au fait, j'ai pour règle de ne jamais m'occuper de ce qu'ils disent. Ils sont étonnamment impertinents, si vous ne les traitez avec hauteur et ne les maintenez à distance.

— Le sont-ils ? Je n'ai jamais constaté cela. Ils sont toujours polis avec moi.

— Oh ! ils se donnent ces airs… Ce sont les êtres les plus infatués d'eux-mêmes. Ils se croient d'une telle importance ! Entre parenthèses, quoique j'y aie pensé cent fois, j'ai toujours oublié de vous demander quel est votre type favori. Préférez-vous les bruns ou les blonds ?

— Je ne sais. Je n'ai jamais beaucoup pensé à cela. Entre les deux, je crois. Châtain. Pas blond. Et pas très brun.

— Très bien, Catherine. C'est tout à fait lui. Je n'ai pas oublié le portrait que vous m'avez fait de M. Tilney : peau brune, yeux noirs, cheveux plutôt foncés. Mon goût est différent. Je préfère les yeux clairs, le teint pâle... Ne me trahissez pas, si jamais vous rencontrez quelqu'un qui réponde à ce signalement !

— Vous trahir ? Comment l'entendez-vous ?

— Non, ne me confondez pas. Je crois que j'en ai trop dit... Abandonnons ce sujet.

Catherine, étonnée, acquiesça, et, après un silence, elle était sur le point de revenir à ce qui l'intéressait plus que tout au monde, le squelette de Laurentine, quand son amie s'écria :

— Pour l'amour du ciel, changeons de place ! Savez-vous qu'il y a deux odieux jeunes gens qui m'ont dévisagée pendant toute cette demi-heure ? Réellement, j'en suis confuse. Allons voir quels sont les nouveaux arrivants. Cela nous débarrassera de ces deux messieurs.

Elles s'en allèrent consulter le registre, et, pendant qu'Isabelle compulsait les noms, Catherine avait mission de surveiller les actes de ces alarmants jeunes gens.

— Ils ne viennent pas de ce côté, n'est-ce pas

— J'espère qu'ils n'auront pas l'impertinence de nous suivre. Je vous en prie, s'ils viennent, dites-le-moi : je suis décidée à ne pas lever les yeux.

Un instant après, Catherine, avec une satisfaction non feinte, annonça qu'on pouvait abjurer toute inquiétude : les jeunes gens venaient de quitter la Pump-Room.

— Et quel chemin ont-ils pris ? dit Isabelle se retournant vivement. L'un était un jeune homme de fort belle mine…

— Ils se sont dirigés vers le cimetière.

— Je suis infiniment contente d'être débarrassée d'eux. Et maintenant, si nous allions à Edgar's Buildings ?… Je vous montrerais mon nouveau chapeau. Vous avez dit que vous étiez curieuse de le voir.

Catherine voulut bien, ajoutant toutefois :

— Mais peut-être rencontrerons-nous les deux jeunes gens…

— Oh ! n'importe ! Si nous nous hâtons, nous les dépasserons tout de suite, et je meurs de vous montrer mon chapeau.

— Mais, si nous attendions simplement quelques minutes, nous ne risquerions pas de les rencontrer.

— Je ne leur ferai pas cet honneur, certes ! Je ne me soucie pas tant des hommes. Ce serait le bon moyen de les gâter.

À un tel argument, Catherine n'avait rien à opposer. Pour affirmer l'indépendance de Mlle Thorpe et sa résolution d'humilier le sexe, elles se lancèrent à la poursuite des deux jeunes gens.

VII

Une demi-minute après, elles avaient traversé les jardins et se trouvaient à la sortie qui donne sur l'Union Passage. Mais là, elles durent s'arrêter. Qui connaît Bath se souvient de la difficulté qu'il y a à traverser Cheap Street en cet endroit : c'est en vérité une rue si revêche et si gauchement reliée aux grandes voies de Londres et d'Oxford et au principal hôtel de la ville, qu'à tout moment des dames – pour importantes que soient leurs affaires, qu'elles soient en quête de pâtisseries, de fanfreluches ou (comme dans le cas actuel) de jeunes gens sont immobilisées par les équipages, les cavaliers et les charrettes. Ce désagrément, Isabelle l'avait éprouvé et déploré au moins trois fois par jour depuis qu'elle séjournait à Bath, et elle était destinée à l'éprouver et à le déplorer une fois de plus, car, juste au moment d'arriver, en face de l'Union Passage et en vue des deux messieurs qui fendaient la foule, le chemin leur fut intercepté par un cabriolet qu'un conducteur forcené précipitait sur le pavé cahotant avec une véhémence, de nature à abréger leurs destins, à lui, à son compagnon et à son cheval.

— Oh ! ces odieux cabriolets ! dit Isabelle, levant les yeux. Comme je les hais !

Cette haine si juste fut de courte durée, car, ayant regardé de nouveau, elle s'écria :

— Oh ! joie ! M. Morland et mon frère !

— Juste ciel ! c'est James ! s'exclamait en même temps Catherine.

À ce moment, les jeunes gens les virent.

Le cheval fut arrêté net, avec une violence qui le jeta presque sur le flanc, et ils sautèrent de la voiture, abandonnant les rênes au domestique.

Catherine ne s'attendait nullement à cette rencontre. Elle accueillit avec la joie la plus expansive son frère, qui manifesta une satisfaction non moins grande – cependant que les yeux brillants de Mlle Thorpe réclamaient son attention. Il lui présenta alors ses hommages avec un mélange de joie et d'embarras qui aurait pu apprendre à Catherine – si elle eût été plus experte à débrouiller les sentiments des autres et moins absorbée par les siens – que son frère, lui aussi, trouvait Isabelle charmante.

John Thorpe, qui avait donné des ordres relatifs au cheval, rejoignit bientôt le groupe, pour offrir à Catherine le tribut qui lui était dû : car, tandis qu'il touchait d'une main rapide et distraite la main de sa sœur, il lui décerna à elle une révérence tout entière et la moitié d'un court salut.

C'était un gros garçon de taille moyenne, avec un visage vulgaire et des formes sans grâce, qui eût craint sans doute d'être trop élégant s'il ne s'était costumé en palefrenier, et trop gentleman s'il n'avait été familier quand il fallait être poli ou impudent quand on pouvait être familier. Il tira sa montre :

— Combien de temps pensez-vous que nous ayons roulé depuis Tetbury, miss Morland ?

— Je ne sais pas quelle distance…

— Vingt-trois milles, dit son frère.

— Vingt-trois ! s'écria Thorpe. Vingt-cinq comme un pouce !

Morland allégua des autorités : les plans, les hôteliers, les pierres milliaires. Mais son ami les dédaignait toutes. Il avait un meilleur critérium :

— Il y en a vingt-cinq ! Je le sais par la durée du trajet. Il est maintenant une heure et demie : nous sommes sortis de la cour de l'hôtel, à Tetbury, comme l'horloge de la ville marquait onze heures ; et je mets au défi n'importe qui en Angleterre d'obtenir de mon cheval attelé moins de dix milles à l'heure ; cela fait juste vingt-cinq milles.

— Vous laissez tomber une heure, dit Morland. Il n'était que dix heures quand nous quittâmes Tetbury.

— Dix heures ! Il était onze heures, sur mon âme ! J'ai compté chaque coup. Votre frère voudrait faire croire que je suis un imbécile, miss Morland. Regardez ce cheval. De votre vie, avez-vous jamais vu animal si bien taillé en course ? (Et le domestique faisait évoluer la bête.) Un pur sang ! Trois heures et demie pour ne faire que vingt-trois milles ! Mais regardez donc cet animal et dites si cela vous semble possible.

— Il paraît avoir très chaud.

— Chaud ! Pas un poil de dérangé quand nous sommes arrivés à l'église de Walcot ! Regardez son poitrail, regardez ses reins ! Tenez, regardez seulement comme il marche. Impossible que ce cheval fasse moins de dix milles à l'heure. Liez-lui les pattes et il filera. Que dites-vous de mon cabriolet, miss Morland ? Il est bien, n'est-ce pas ? Bien suspendu, dernière mode. Il y a à peine un mois que je l'ai. Il a été fait pour quelqu'un du Christchurch, un excellent gaillard de mes amis qui ne s'en est servi que quelques semaines. Je cherchais quelque chose de ce genre. À la vérité, je me serais bien décidé pour un curricle, mais j'eus la chance de rencontrer l'ami sur le Magdalen Bridge, comme il roulait dans Oxford.

— Hé ! Thorpe, me dit-il, n'auriez-vous pas envie d'une petite chose comme celle-ci ? Elle est de tout premier ordre, mais j'en suis bougrement fatigué.

— Oh ! cré nom ! dis-je. Je suis votre homme ; combien voulez-vous ?

— Et combien croyez-vous qu'il me demanda, miss Morland ?

— Jamais je ne le devinerai...

— Cabriolet suspendu, vous voyez, siège, coffre, boîte à épées, garde-crotte, lanternes, etc., tout, vous voyez, complet ; la ferrure aussi bonne que si elle était neuve, ou meilleure. Il demandait cinquante guinées ; je fis marché avec lui aussitôt, lâchai la somme, et la voiture était à moi.

— Eh bien ! ma foi, dit Catherine, je suis si peu au courant de ces choses, que je serais incapable de juger si c'est bon marché ou cher.

— Ni l'un ni l'autre. J'aurais pu l'avoir à moins, j'ose le dire. Mais j'exècre marchander, et le pauvre Freeman avait besoin d'argent.

— C'était bien à vous, dit Catherine très touchée.

— Peuh !... Quand on a les moyens de rendre service à un ami, sans se gêner, cré nom ! Je déteste qu'on lésine.

Les jeunes gens demandèrent alors aux jeunes filles où elles allaient, et il fut décidé qu'ils les accompagneraient à Edgar's Buildings et présenteraient leurs respects à Mme Thorpe. James et Isabelle ouvrirent la marche. Isabelle, enchantée, s'évertuait à rendre cette promenade agréable à son compagnon qui, double prestige, était l'ami de son frère et le frère de son amie. Ses sentiments étaient si sincères et si dénués de coquetterie, qu'ayant croisé, dans Milsom Street, les deux audacieux jeunes hommes de tout à l'heure, elle ne se retourna sur eux que trois fois.

Il va sans dire que John Thorpe tint compagnie à Catherine et, après quelques minutes de silence, recommença à parler de son cabriolet.

— Vous conviendrez pourtant, miss Morland, que, tel quel, ce marché pouvait passer pour avantageux, car j'aurais pu revendre l'objet dix guinées de plus, dès le lendemain. Jackson, d'Oriel, m'en offrit du premier coup soixante. Morland était là.

— Oui, dit Morland qui saisit au vol cet appel à son témoignage, mais vous oubliez que le cheval était compris dans le marché.

— Mon cheval ! cré nom ! Je ne vendrais pas mon cheval pour cent guinées, cent ! Aimez-vous aller en voiture découverte, miss Morland ?

— Oui, beaucoup. J'ai rarement eu l'occasion d'aller en voiture découverte, mais j'aime cela.

— J'en suis heureux. Je vous promènerai tous les jours dans la mienne.

— Je vous remercie, dit évasivement Catherine, indécise sur l'accueil qu'il convenait de faire à cette invitation.

— Je vous conduirai demain au haut de la côte de Lansdown…

— Je vous remercie… mais votre cheval n'aura-t-il pas besoin de repos ?

— De repos ! Il n'a fait que vingt-trois milles aujourd'hui. Allons donc ! Rien n'abîme tant les chevaux que le repos ; rien ne les éreinte aussi rapidement. Non, non ; le mien marchera, en moyenne, quatre heures par jour, tant que je serai ici.

— Y songez-vous ? dit Catherine très sérieusement. Cela fera quarante milles par jour.

— Quarante ? eh ! cinquante ! Je m'en moque pas mal ! Bon ! Je vous conduirai demain au haut de la côte de Lansdown ; comptez-y.

— Comme ce sera charmant, s'écria Isabelle en se retournant. Chère Catherine, je vous envie. Mais, mon frère, je crains que vous n'ayez pas place pour une troisième personne.

— Une troisième, vraiment ? Non, non. Je ne suis pas venu à Bath pour promener mes sœurs. Ce serait plaisant, ma foi ! Que Morland s'occupe de vous !

Ce qui provoqua entre Isabelle et Morland un échange d'amabilités dont le détail échappa à Catherine. Cependant Thorpe, jusque-là si fertile en discours, était devenu laconique ; ses propos se réduisaient maintenant à de brefs jugements sans appel – blâme ou approbation – sur la performance de toutes les femmes qu'on rencontrait. Catherine, après avoir écouté et acquiescé, aussi longtemps qu'elle put, avec la retenue d'une jeune fille qui craint d'émettre – surtout au sujet de la beauté des femmes – un avis personnel en opposition avec celui d'un homme si sûr de son fait, tenta de changer le sujet de la conversation par une question qu'elle refrénait depuis longtemps :

— Avez-vous lu *Udolphe*, monsieur Thorpe ?

— *Udolphe* ! ô Seigneur, pas moi ! Je ne lis jamais de romans : j'ai autre chose à faire.

Catherine, humiliée et honteuse, allait s'excuser de sa question, mais il la prévint en disant :

— Tous les romans sont un fatras d'absurdités. Il n'en est pas paru un seul tolérable depuis *Tom Jones*, excepté *Le Moine*. J'ai lu ça l'autre jour. Mais les autres sont bien ce qu'il y a de plus stupide au monde.

— Je pense que vous aimeriez *Udolphe*, si vous, consentiez à le lire. C'est si intéressant !

— Pas moi ! sur ma parole ! Non, si j'en lis, ce sont ceux de Mme Radcliffe. Ses romans sont assez amusants. Ils valent d'être lus. C'est farce et naturel.

— *Udolphe* est de Mme Radcliffe, dit-elle, avec une hésitation à la pensée qu'elle pouvait le mortifier.

— Non ! Vrai ? Est-il... ? Eh ! Je m'en souviens, en effet. Je pensais à cet autre livre inepte écrit par cette femme dont on a fait tant d'embarras et qui a épousé l'émigré français...

— Je suppose que vous voulez dire *Camille*.

— Oui, c'est ce livre-là. C'est plein d'absurdités ! Un vieillard qui joue à la branloire !... Une fois, je pris le premier volume et le parcourus. Je vis bientôt que ça n'irait pas ; en vérité, je devinai tout de suite quelle drogue ce devait être ; dès que je sus qu'elle avait épousé un émigré, je fus certain de ne pouvoir aller jusqu'au bout.

— Je n'ai jamais lu ce livre.

— Vous n'avez rien perdu, je vous assure, c'est la plus horrible sottise que vous puissiez imaginer. Il n'y a rien du tout... qu'un vieillard qui joue à la branloire et qui apprend le latin. Sur mon âme il n'y a pas autre chose.

Cette critique, dont la pauvre Catherine ne pouvait malheureusement apprécier la valeur, les occupa jusqu'à la porte de Mme Thorpe, et les sentiments du judicieux et impartial lecteur de *Camille* cédèrent aux sentiments du fils respectueux, quand il se trouva en présence de sa mère.

— Ah ! maman, comment vous portez-vous ? dit-il, lui donnant une vigoureuse poignée de main. Où avez-vous acheté cette énigme de chapeau ? Avec ça sur la tête, vous avez l'air d'une vieille sorcière. Voilà : Morland et moi, nous venons passer quelques jours avec vous. Il faudra donc nous trouver une couple de bons lits dans le voisinage.

Cette allocution parut satisfaire à tous les vœux du cœur maternel, car Mme Thorpe accueillit son fils avec effusion. Il distribua ensuite des parts égales de sa tendresse fraternelle à ses deux sœurs cadettes : il leur demanda à chacune comment elles se portaient et fit la remarque qu'elles étaient toutes les deux bien laides.

Ces façons déplaisaient à Catherine ; mais n'était-il pas l'ami de James et le frère d'Isabelle ? et ce qui suivit ne laissa pas que d'ébranler son jugement. Comme elles s'éloignaient pour examiner le nouveau chapeau, Isabelle dit à Catherine que John la trouvait la plus délicieuse fille de la terre ; d'autre part, John, au moment de la séparation, la pria à danser pour ce même soir. Qu'elle eût été plus âgée ou plus vaine, et des prévenances de ce genre auraient eu peu d'effet ; mais comment Catherine, si jeune et si peu confiante en ses opinions, aurait-elle résisté au charme d'être appelée la plus délicieuse fille de la terre et d'être, de si bonne heure, engagée pour le bal ? Après une heure passée chez Mme Thorpe, les deux Morland prirent congé pour aller chez M. Allen. Dès la porte refermée sur eux, James demanda :

— Eh bien ! Catherine, comment trouvez-vous mon ami Thorpe ?

Et elle, au lieu de répondre, comme elle aurait fait si elle avait vu clair en elle-même : « Je ne l'aime pas du tout », répondit :

— Il me plaît beaucoup. Il semble très aimable.

— C'est le meilleur garçon du monde, un peu bavard, mais cela n'est pas un crime auprès des dames. Et comment trouvez-vous le reste de la famille ?

— Ils me plaisent beaucoup, beaucoup, vraiment ; surtout Isabelle.

— Je suis très heureux de vous entendre parler ainsi. C'est bien une jeune fille de ce genre qu'il vous fallait pour amie. Elle a tant de bon sens, elle est si parfaitement naturelle ! J'avais toujours souhaité que vous fissiez sa connaissance, et elle semble vous aimer beaucoup. Elle fait de vous les plus vifs éloges, et l'éloge d'une fille comme Mlle Thorpe, même vous Catherine (lui prenant affectueusement la main), vous pouvez en être fière.

— J'en suis fière, en vérité, répondit-elle. Je l'aime de tout mon cœur, et je suis enchantée de découvrir que vous l'aimez aussi. Vous ne m'avez guère parlé d'elle dans les lettres que vous m'écriviez lors de votre séjour chez les Thorpe.

— Parce que je pensais vous voir avant longtemps. J'espère que vous serez souvent ensemble, à Bath. C'est une fille si charmante, d'une intelligence supérieure... Comme toute la famille l'aime ! Elle est évidemment la préférée.

Et comme elle doit être admirée ici ! Ne l'est-elle pas ?

— Oui, beaucoup. M. Allen la déclare la plus jolie fille de Bath.

— Cela ne m'étonne pas : je ne connais pas de meilleur juge de la beauté que M. Allen. Je ne vous demande pas si vous êtes heureuse ici, ma chère Catherine… Avec une amie comme Isabelle, peut-il en être autrement ? Et les Allen, j'en suis sûr, sont très gentils pour vous.

— Oui, très gentils. Je n'ai jamais été si heureuse ; et, maintenant que vous êtes là, ce sera plus charmant que jamais. Que c'est gentil de venir de si loin pour me voir !

James accepta ce remerciement et apaisa sa conscience en disant, et il était sincère :

— En vérité, Catherine, je vous aime beaucoup.

Des questions et des réponses, concernant les frères et les sœurs, la situation des uns, la croissance des autres et maintes choses du même genre, s'échangèrent (une seule digression – de James, en faveur de Mlle Thorpe) pendant qu'ils gagnaient Pulteney Street. James fut accueilli avec une grande amabilité par M. et Mme Allen, invité par monsieur à dîner avec eux et par madame à deviner le prix et à apprécier les mérites d'un nouveau manchon et d'une palatine. Un engagement déjà pris à Edgar's Buildings l'empêcha d'accepter l'amabilité de l'un et l'obligea à s'esquiver aussitôt qu'il eut satisfait à la question de l'autre. L'heure de la réunion des deux familles ayant été fixée avec soin, Catherine fut voluptueusement toute à *Udolphe,* loin des choses de la terre – la toilette, le dîner. Elle était dès lors incapable de calmer les craintes de Mme Allen touchant le retard d'une couturière ou même de jouir une minute sur soixante de cette félicité d'être déjà engagée pour le soir.

VIII

En dépit d'*Udolphe* et de la couturière, les Allen et Catherine arrivèrent à temps aux Upper Rooms ; les Torpe et James Morland n'étaient là que depuis deux minutes. Isabelle se précipita vers son amie en une hâte exultante. Après l'avoir, comme d'habitude, célébrée, et sa toilette, et sa chevelure dont elle jalousait les ondes, elle lui prit le bras. Ainsi, précédées de leurs chaperons, elles se rendirent dans la salle de bal, chuchotant entre elles quand il leur venait une idée, suppléant aux idées par un serrement de mains ou un aimable sourire.

Quelques minutes après qu'elles furent assises, la danse commença. Isabelle et James étaient très impatients d'y prendre part. Mais John était allé parler à un ami dans la salle de jeu, immobilisant Catherine – et Isabelle déclarait :

— Pour rien au monde, je ne me lèverais avant elle : nous serions certainement séparées toute la soirée.

Catherine accueillit avec gratitude cette gentillesse, et l'on resta assis trois minutes encore. Tout à coup Isabelle, qui avait parlé *a parte* à James, se retourna et, à voix basse :

— Ma chère amie, il faut que je vous quitte ; votre frère est si impatient de danser ! Je sais que vous ne m'en voudrez pas. Je suis sûre que John sera de retour dans l'instant, et que vous me retrouverez sans peine.

Catherine, un peu déçue, était trop bonne pour rien objecter. Déjà se levaient James et Isabelle. Celle-ci serra la main à Catherine et, sur un « Au revoir, ma chère aimée », disparut avec son partenaire. Les jeunes demoiselles Thorpe dansant aussi, Catherine fut laissée à la merci de leur mère et de Mme Allen. Elle ne put s'empêcher d'être vexée que M. Thorpe prolongeât son absence, car, non seulement elle brûlait de danser, mais encore, la dignité réelle de sa situation étant ignorée, elle subissait, avec des vingtaines d'autres jeunes filles, le discrédit qu'il y a à faire tapisserie. Être indûment disgraciée aux yeux de tous, supporter une humiliation imméritée, être victime de la faute d'un autre est une des mésaventures classiques de l'héroïne, et à la subir avec courage se décèle la noblesse d'un caractère. Catherine avait du courage. Elle souffrit, mais nul murmure ne passa sur ses lèvres.

Au bout de cinq minutes, son humiliation céda à un sentiment plus plaisant – Catherine voyait à quelques pas, non M. Thorpe, M. Tilney. Il semblait se diriger vers elle, mais sans la voir. Le sourire et la rougeur que provoqua chez Catherine cette réapparition soudaine se dissipèrent avant d'avoir pu ternir le stoïcisme de son attitude. Il était aussi beau et accort que jamais, et il causait avec une jolie femme élégante et jeune, qui s'appuyait à son bras et que Catherine conjectura sa sœur : elle repoussait ainsi quelle belle occasion de le croire marié et, dès lors, perdu pour elle. Accessible surtout à ce qui était simple et probable, elle n'avait jamais pensé que M. Tilney pût être marié. Ses façons de faire et de dire n'étaient pas celles des gens mariés qu'elle avait connus ; il n'avait jamais parlé de sa femme ; il avait avoué une sœur. De là résultait que cette jeune personne était bien sa sœur. Aussi, au lieu de mortellement pâlir et d'avoir une crise de nerfs, Catherine resta bien droite, en parfaite possession de ses sens : les joues un peu plus roses qu'à l'ordinaire.

M. Tilney et sa compagne, qui s'avançaient lentement, étaient précédés par une dame de leurs amies. Cette dame reconnut Mme Thorpe et s'arrêta pour lui parler. Eux s'arrêtèrent aussi, et Catherine lut dans les yeux de M. Tilney le plaisir qu'il avait à la revoir. Elle lui rendit son sourire avec joie. Il était maintenant près de Catherine et de Mme Allen.

— Vraiment, lui dit celle-ci, je suis très heureuse de vous voir. J'avais peur que vous eussiez quitté Bath.

Il lui rendit grâces de ce souci et dit qu'il avait été absent une semaine. Il était parti le lendemain même du jour où il avait eu le plaisir de la rencontrer.

— Et, monsieur, j'ose dire que vous n'êtes pas fâché d'être revenu, car Bath est un charmant séjour pour la jeunesse et, en vérité, pour tout le monde. Je disais à M. Allen – il craignait de s'y déplaire – que j'étais sûre que ses craintes seraient vaines. C'est un séjour si agréable ! et mieux vaut être ici que chez soi, à cette insipide époque de l'année. Je lui ai dit qu'il avait bien de la chance d'être envoyé ici pour sa santé.

— Et j'espère, madame, que M. Allen sera forcé d'aimer Bath, à constater que le séjour lui en est efficace.

— Je vous remercie, monsieur, je ne doute pas qu'il en soit ainsi. Un de nos voisins, le docteur Skinner, fit un séjour à Bath, l'hiver dernier, et repartit tout à fait guéri.

— Voilà qui est très encourageant.

— Oui, monsieur, le docteur Skinner et sa famille restèrent ici trois mois. Aussi, ai-je dit à M. Allen qu'il n'eût pas à se presser de partir.

Ils furent interrompus par une requête de Mme Thorpe à Mme Allen : qu'elle voulût bien céder un peu de place à Mme Hughes et à Mlle Tilney. Ce fut fait. M. Tilney était toujours debout devant elles ; il pria Catherine à danser. Cette invitation, si délicieuse en soi, fut bien douloureuse à la jeune fille. En s'y dérobant, elle exprima avec une telle chaleur son regret, que si Thorpe, qui la rejoignit immédiatement après, eût déjà été là, il eût pu penser que ce regret était par trop vif. Le sans-gêne avec lequel il lui dit simplement : « Je vous ai fait attendre » était pas pour la réconcilier avec le sort, et, tandis qu'il l'emmenait, ses discours, sur les chevaux et les chiens de l'ami qu'il venait de quitter et sur une proposition de troc de terriers, l'intéressaient trop peu : elle regardait vers le point de la salle où elle avait laissé M. Tilney. Elle ne voyait pas sa chère Isabelle, à qui elle désirait particulièrement le montrer. Elle était séparée de toute sa société, loin de toutes ses connaissances. Une mortification succédait à une autre. Et, de tout cela, elle déduisait cette moralité : être engagée d'avance pour un bal n'accroît pas nécessairement la félicité qu'on y trouvera. Elle fut tirée de ces spéculations par la pression d'une main sur son épaule. Mme Hughes, Mlle Tilney et un monsieur, qui les accompagnait, étaient là.

— Je vous demande pardon de la liberté que je prends, miss Morland, dit la dame ; mais je ne parviens pas à trouver Mlle Thorpe : sur le conseil de Mme Thorpe, c'est donc à vous que j'amène Mlle Tilney.

Mlle Tilney reçut le plus gentil accueil. Elle exprima ses remerciements de tant d'obligeance. Catherine, avec la vraie délicatesse d'une âme généreuse, n'attachait aucune importance à ses bienfaits. Mme Hughes, satisfaite d'avoir si heureusement casé la jeune fille confiée à ses soins, rejoignit Mme Thorpe.

Mlle Tilney avait élégante tournure, joli visage, avenante physionomie, et, dans son attitude, sans avoir toute la hardiesse de style de Mlle Thorpe, elle avait plus de réelle élégance. Ses façons n'étaient ni timides ni d'une franchise affectée ; elle savait être jeune et attrayante sans forcer l'attention unanime, et les menus incidents d'un bal pouvaient se succéder sans qu'elle manifestât par des transports sa joie ou son mécontentement.

Catherine, séduite à la fois par le doux prestige de cette jeune fille et par sa qualité de sœur de M. Tilney, parla sans hésiter, chaque fois qu'elle trouva quelque chose à dire. Mais l'obstacle qu'était à leur conversation la pénurie des sujets les empêcha d'aller au-delà des premiers rudiments de l'amitié : aimaient-elles Bath ? admiraient-elles ses monuments, ses environs ? dansaient-elles, faisaient-elles de la musique, chantaient-elles ? montaient-elles à cheval ?

Soudain Catherine se sentit le bras amicalement saisi par sa fidèle Isabelle qui, avec feu, s'écria :

— Enfin ! Je vous retrouve donc ! Ma très chère âme, je vous ai cherchée toute cette heure. Qu'est-ce qui a bien pu vous faire venir de ce côté, quand vous saviez que j'étais là-bas ? Loin de vous, j'étais tout à fait malheureuse.

— Ma chère Isabelle, comment m'eût-il été possible de vous rejoindre ? J'ignorais où vous étiez.

— C'est ce que j'ai dit tout le temps à votre frère ; mais il ne voulait pas me croire. « Allez, et tâchez de la retrouver, monsieur Morland », lui disais-je. En vain. Il ne voulait pas remuer d'un pouce. Est-ce pas vrai, monsieur Morland ? Mais vous, les hommes, êtes si désolément paresseux ! Je l'ai grondé, ma chère Catherine, à un point qui vous étonnerait. Vous savez, je ne fais pas de façons avec ces messieurs.

— Regardez cette jeune fille qui a des perles blanches dans les cheveux, dit Catherine, détachant le bras de son amie de celui de James. C'est la sœur de M. Tilney.

— Oh ! cieux ! vous ne me le disiez pas ! Que je la voie... Exquise ! jamais je ne vis femme aussi belle. Mais où son conquérant de frère est-il donc ? Dans la salle ? S'il y est, montrez-le-moi sur l'heure. Je languis de le voir. Monsieur Morland, n'écoutez pas ; nous ne parlons pas de vous.

— Mais à quel propos, toutes ces chuchoteries ? Que se passe-t-il ?

— Là ! j'en étais sûre ! Vous, les hommes, vous avez une curiosité si inquiète ! Parlez de la curiosité des femmes ! vraiment ce n'est rien. Soyez satisfait : vous ne saurez rien du tout.

— Cela, me satisfaire ? vous croyez ?

— Vous n'avez pas votre pareil ! Que vous importe ce que nous disons ? Peut-être parlons-nous de vous. Je vous conseille donc de ne pas écouter : vous pourriez entendre des choses peu flatteuses.

Sous ce flux de lieux communs, qui dura quelque temps, le sujet premier de la conversation semblait complètement submergé : aussi Catherine ne put-elle réprimer un léger doute touchant ce véhément désir qu'avait eu Isabelle de voir M. Tilney.

Quand l'orchestre préluda de nouveau, James voulut entraîner sa jolie danseuse. Elle résista :

— Je vous le répète, monsieur Morland : non, pour rien au monde. Comment pouvez-vous me contrarier ainsi ? Vous imagineriez-vous, ma chère Catherine, ce que veut votre frère ? Il veut que je danse encore avec lui. J'ai beau lui dire que ce serait chose inconvenante et tout à fait contre les règles... Enfin, si nous ne changeons pas de partenaires, tout Bath en jasera.

— Sur mon honneur, dit James, il n'y a pas de règles pour cela dans les réunions du genre de celle-ci.

— Quelle sottise ! Comment pouvez-vous parler ainsi ? Mais quand vous, les hommes, voulez arriver à vos fins, rien ne vous arrête. Ma douce Catherine, aidez-moi. Persuadez donc à votre frère que c'est de toute impossibilité. Dites-lui que cela vous choquerait de me voir faire chose pareille, Et cela ne vous choquerait-il pas ?

— Pas du tout. Mais si vous croyez que ce soit mal, changez.

— Voilà ! s'écria Isabelle. Vous entendez ce que dit votre sœur ! Et pourtant vous ne cédez pas. Bien. Si nous mettons en émoi toutes les vieilles dames de Bath, ce ne sera pas ma faute. Venez, ma chère Catherine, pour l'amour du ciel, et ne me quittez pas !

Ils regagnèrent leurs places.

Cependant, John Thorpe était parti, et Catherine, désirant donner à M. Tilney l'occasion de renouveler l'agréable requête qui l'avait charmée une première fois, rejoignit sur l'heure Mme Allen et Mme Thorpe, dans l'espoir de le trouver encore auprès d'elles, espoir qu'elle jugea bien déraisonnable quand elle vit qu'il était vain.

— Eh bien ! ma chère, dit Mme Thorpe, impatiente d'entendre louer son fils, je pense que vous avez eu un agréable danseur...

— Très agréable, madame.

— J'en suis aise. John a une gaîté charmante, n'est-ce pas ?

— Avez-vous rencontré M. Tilney, ma chère ? dit Mme Allen.

— Non. Où est-il ?

— M. Tilney était avec nous, il n'y a qu'un moment. Il était si las de badauder qu'il allait danser un peu. Peut-être vous aurait-il invitée, s'il vous avait vue.

— Où peut-il être ? dit Catherine, le cherchant des yeux.

Elle n'eut pas à chercher longtemps. Elle le vit, une jeune femme au bras.

— Ah ! il a une danseuse. J'aurais aimé qu'il vous invitât, dit Mme Allen. Et, après un court silence, elle ajouta : C'est un très charmant jeune homme.

— Vraiment, oui, madame Allen, dit Mme Thorpe, souriant avec complaisance. Quoique je sois sa mère, je dois avouer qu'il n'y a pas au monde de jeune homme plus charmant.

Une déclaration si intempestive eût embarrassé bien des gens ; mais non pas Mme Allen, car, après un moment de méditation, elle dit tout bas à Catherine :

— Je crois qu'elle s'imagine que je parlais de son fils.

Catherine était désappointée et vexée. Il s'en était fallu de si peu que son vœu se réalisât ! Cette malchance ne la prédisposait pas à faire une réponse gracieuse à John Thorpe, qui, enfin de retour, lui disait :

— Eh ! miss Morland, je suppose que nous allons de nouveau nous trémousser ensemble.

— Oh ! non ! Je vous remercie. D'ailleurs, je suis lasse. Je ne danserai sans doute plus ce soir.

— Vous ne danserez plus ! Alors promenons-nous et moquons-nous des gens. Venez. Je vous montrerai les quatre pires farceurs qui soient ici : mes deux sœurs cadettes et leurs partenaires. Je me suis moqué d'eux toute cette demi-heure.

Catherine s'excusa encore ; et, à la fin, il s'en alla tout seul se moquer de ses sœurs.

Elle trouva le reste de la soirée très fastidieux. À l'heure du thé, M. Tilney demeura avec sa danseuse. Mlle Tilney, qui faisait partie du groupe de Catherine, n'était pas assise près d'elle. Une tendre conversation isolait James et Isabelle. Celle-ci ne put décerner à son amie qu'un sourire, un serrement de main et un seul « ma très chère Catherine ».

IX

Les malencontreux événements de la soirée se répercutèrent en Catherine comme suit :

Elle s'était d'abord sentie mécontente de tout le monde, ce qui avait suscité en elle un ennui morne et une violente envie de rentrer à la maison. Ces sentiments, à son arrivée à Pulteney Street, se résolurent en une faim dévorante et, quand sa faim fut apaisée, en un ardent désir d'être au lit. Ce fut le point extrême de sa détresse, car, une fois couchée, elle tomba dans un profond sommeil, qui dura neuf heures et dont elle se réveilla parfaitement dispose, avec de frais espoirs et de nouveaux projets. Le premier vœu de son cœur fut : faire plus ample connaissance avec Mlle Tilney ; et son premier dessein : la chercher, à cet effet, dans la Pump-Room, ce jour même. Où rencontrer, qu'à la Pump-Room, une personne depuis si peu de temps à Bath ? La Pump-Room, si admirablement propice aux confidences et où elle avait déjà découvert la perfection féminine sous les traits de Mlle Thorpe, serait, elle pouvait l'espérer, le lieu entre tous favorable à l'éclosion d'une amitié nouvelle.

Son plan arrêté de la sorte pour l'après-midi, dès qu'elle eut déjeuné, elle prit *Udolphe* et s'assit, décidée à rester tout à sa lecture jusqu'à ce que la pendule marquât une heure. Cependant, et sans que Catherine en fût importunée (l'habitude...), des phrases sans suite fluaient de Mme Allen : elle ne parlait jamais beaucoup, faute de penser, et, pour la même raison, n'était jamais complètement silencieuse. Qu'elle perdît son aiguille, cassât son fil, entendît le roulement d'une voiture, aperçût une petite tache sur sa robe, elle le disait, qu'il y eût là ou non quelqu'un pour la réplique. Vers midi et demi, un violent coup de heurtoir ébranla la maison. Mme Allen courut à la fenêtre. À peine eut-elle le temps de dire à Catherine qu'il y avait à la porte deux voitures découvertes, James Morland et Mlle Thorpe dans l'une, un domestique dans l'autre – et déjà John Thorpe montait quatre à quatre l'escalier et sa voix retentissait :

— Hé ! miss Morland, me voilà ! Est-ce que je vous ai fait attendre longtemps ? Nous n'avons pu venir plus tôt. Un vieux carrossier du diable a mis une éternité à découvrir quelque chose où l'on pût tenir. Et il y a mille à parier contre un que ça se cassera avant que nous soyons au bout de la rue ! Comment vous portez-vous, madame Allen ? Un fameux bal, hier soir, hein ? Allons, allons, miss Morland, dépêchez-vous : les autres sont furieusement pressés de partir ; ils ont hâte de faire la culbute.

— Que voulez-vous dire ? demanda Catherine. Où aller ?

— Où aller ? Eh ! vous n'avez pas oublié notre engagement ? N'est-il pas entendu qu'on se promènera ce matin ? Quelle tête vous avez ! Nous allons sur la côte de Claverton.

— Il avait été question de cela, je me le rappelle, dit Catherine, regardant vers Mme Allen pour prendre avis, mais vraiment je ne vous attendais pas.

— Vous ne m'attendiez pas ! En voilà une bonne ! Et quel tapage vous auriez fait si je n'étais pas venu !

Le silencieux appel de Catherine à son amie fut vain. Mme Allen, qui ne s'était jamais avisée de rien notifier par un regard, était fort incapable de discerner ce qu'un regard pouvait bien signifier. (Le désir que Catherine avait de revoir Mlle Tilney fut, à ce moment, balancé par son désir d'aller se promener en voiture, et il lui semblait qu'elle pouvait sans inconvenance accepter la compagnie de M. Thorpe, comme Isabelle acceptait celle de James.) Mme Allen gardant le silence, Catherine fut obligée de s'exprimer plus clairement.

— Madame Allen, que dites-vous de cela ? Puis-je vous quitter pendant une heure ou deux ? Irai-je ?

— Comme il vous plaira, ma chère, répondit Mme Allen avec la plus placide indifférence.

Catherine, sortit vivement faire ses préparatifs.

Quelques phrases à sa louange avaient à peine été échangées (après toutefois que Thorpe eût obtenu pour son cabriolet le suffrage de Mme Allen), et déjà Catherine réapparaissait. Mme Allen leur souhaita bonne promenade. Rapidement ils descendirent l'escalier.

— Ma chère âme, s'écria Isabelle, vous avez mis au moins trois heures à vous préparer ! Je craignais que vous fussiez malade. Quel charmant bal, hier soir ! J'ai mille choses à vous dire. Mais dépêchez-vous de monter en voiture. J'ai hâte d'être en route.

Catherine se dirigea vers le cabriolet, mais pas si rapidement qu'elle n'entendît son amie, qui d'ailleurs avait eu soin de ne pas baisser le ton, dire à James :

— Quelle délicieuse fille ! Je raffole absolument d'elle…

— Ne vous effrayez pas, miss Morland, dit Thorpe, comme il l'aidait à monter, si mon cheval danse un peu sur place avant de partir. Plus que probablement il se cabrera une fois ou deux, puis restera stupide ; mais bientôt il sentira son maître. Il est plein de gaîté, folâtre autant qu'on peut l'être, mais vicieux, point.

Catherine ne trouvait pas le portrait bien engageant. Mais il était trop tard pour reculer, et elle était trop jeune pour s'avouer effrayée. S'abandonnant à son destin et à l'expérience que l'animal pouvait avoir du maître, elle s'assit, et Thorpe prit place à côté d'elle.

Tout était en règle, il dit d'un ton important au domestique qui se tenait à la tête du cheval :

— Lâchez tout !

Et ils partirent de la façon la plus paisible, sans que le cheval songeât le moins du monde à se cabrer ni à faire la plus modeste caracolade. Catherine se félicitait de l'avoir échappé belle et manifestait son aise avec une surprise reconnaissante. Son compagnon expliqua le phénomène, qui était dû à la manière particulièrement habile et judicieuse dont, à ce moment-là, il avait tiré les guides et manoeuvré le fouet. Mais pourquoi, avec un tel empire sur son cheval, croyait-il à propos d'effrayer une voyageuse par la relation des malices de la bête ? Sans s'attarder à y réfléchir, elle se réjouissait d'être sous la protection d'un cocher si accompli. L'animal persévérait dans son allure pacifique et ne marquait aucun goût pour les aventures. Catherine, considérant que ce pas débonnaire réalisait pourtant la vitesse terrifique de dix milles à l'heure, goûtait en toute sécurité le charme reconfortant de l'air frais par un beau et souriant février.

Après un silence de plusieurs minutes, Thorpe dit brusquement :

— Le vieil Allen est aussi riche qu'un juif, hein ?

Catherine ne comprenait pas. Il répéta sa question, ajoutant, pour l'élucider :

—… Oui, le vieil Allen, l'homme avec qui vous êtes.

— Oh ! vous voulez dire : monsieur Allen… Oui, je le crois très riche.

— Et pas d'enfants du tout ?

— Non, pas un seul.

— Fameux pour ses proches héritiers ! Il est votre parrain, n'est-ce pas ?

— Mon parrain ? Non pas.

— Mais, vous êtes toujours avec eux.

— Oui, très souvent.

— Eh ! c'est ce que je voulais dire. Il semble un assez brave vieux bonhomme. J'ose dire qu'il a bien vécu, dans son temps ; il n'est pas goutteux pour rien. Vide-t-il encore sa bouteille par jour ?

— Sa bouteille par jour ? Non pas ! Pourquoi penseriez-vous chose pareille ? Il est très sobre. Vous n'allez pas imaginer qu'il fût ivre hier soir.

— Dieu vous aide ! Vous autres femmes, vous croyez toujours que les hommes sont dans les vignes. Eh ! vous ne supposez pas qu'une bouteille suffise à jeter bas un homme. J'affirme que si chacun buvait sa bouteille par jour, il y aurait deux fois moins de malades. Ce serait une fameuse chose pour tous !

— Je ne puis croire…

— Ô Seigneur ! Y en aurait-il de sauvés ! On ne boit pas dans le royaume la centième partie du vin qu'il y faudrait boire. Notre climat de brumes crie à l'aide.

— Cependant, j'ai entendu dire qu'à Oxford on boit beaucoup de vin.

— Oxford ! On ne boit plus à Oxford, je vous assure. Pas un buveur. Vous y rencontreriez difficilement un homme qui aille au-delà de ses quatre pintes… et encore !… Tenez, à la dernière réunion qu'il y eut chez moi, le fait que nous ayons bu en moyenne cinq pintes environ par tête fut considéré comme une chose tout à fait extraordinaire. Il est vrai que *mon* vin est d'un fameux velours et que vous ne trouveriez pas facilement le pareil à Oxford. Vous avez maintenant une idée exacte de ce que l'on boit là-bas.

— Oui, cela me donne une idée, dit vivement Catherine, l'idée que vous buvez tous beaucoup plus de vin que je ne pensais. Cependant, je suis bien sûre que James ne boit pas autant.

Cette certitude provoqua une bruyante et violente réplique, dont rien ne fut clair, sinon les exclamations abondantes – presque des jurons – qui l'ornaient. Et, quand ce fut fini, la croyance n'était pas abolie en Catherine, elle était plutôt renforcée, qu'on buvait beaucoup de vin à Oxford, mais que, comparativement aux autres étudiants, son frère pouvait se targuer de sobriété.

Les idées de Thorpe se reportèrent alors toutes sur les mérites de son attelage. Catherine fut conviée à admirer l'ardeur du cheval et cette relation harmonieuse entre les élans de la bête et le balancement du véhicule. Elle souscrivit à ces opinions. Les amplifier ou les restreindre, elle ne pouvait. Son érudition à lui, son ignorance à elle et tant de volubilité à côté de tant de modestie étaient pour paralyser toute initiative. Impuissante à innover, elle répétait en écho ce que proclamait Thorpe. En dernière analyse, il fut établi que cet équipage-là était, dans son genre, le plus bel équipage qui fût en Angleterre ; nulle voiture n'était aussi bien entretenue ; quel meilleur trotteur que ce cheval ? et lui-même, Thorpe, apparaissait le cocher par excellence. Alors Catherine, pour varier la conversation, hasarda :

— N'est-ce pas, monsieur Thorpe ? Vous croyez que le cabriolet de James pourra résister...

— Résister, Seigneur ! Dites-moi, avez-vous jamais vu si misérable assemblage ? Pas une pièce de l'armature qui soit en bon état ! Les roues se sont usées à rouler pendant dix ans au moins ; et, quant au coffre, sur mon âme ! vous, rien qu'en le touchant, vous le mettriez en miettes. C'est le plus satané petit rachitique travail que j'aie vu ! Dieu merci ! notre cabriolet est meilleur. Je ne voudrais pas, pour cinquante mille livres, être condamné à rouler là-dedans, l'espace de deux milles !

— Bonté céleste ! s'écria Catherine, réellement effrayée. Alors, je vous en prie, rentrons ! Si nous allons plus loin, il leur arrivera certainement malheur. Retournons, monsieur Thorpe ! Arrêtez, et parlez à mon frère, et dites-lui le danger !

— Le danger ! ô Seigneur, quel danger ? Si la voiture se casse, eh bien ! ils se ramasseront, voilà tout. Il y a beaucoup de boue... Excellent pour tomber ! Ah ! malédiction ! la voiture est assez bonne, pour qui sait conduire. Une chose de cette espèce, en mains sûres, roulerait encore vingt ans, avant d'être hors d'usage. Dieu vous garde ! pour cinq livres, je la conduirais à York et la ramènerais, et pas un clou perdu !

Catherine écoutait, ébahie. Elle ne pouvait concilier des propositions si contradictoires : elle n'avait pas grandi dans une atmosphère de bavardages et ne savait pas à quelles assertions oiseuses et à quels impudents mensonges conduit l'excès de vanité. Sa famille était toute de gens positifs, qui ne cherchaient pas à faire de l'esprit. Tout au plus le père risquait-il un calembour, et la mère, un proverbe. Nul Morland n'avait l'habitude de mentir pour accroître son importance ni d'affirmer d'emblée pour se contredire ensuite. Quelque temps, elle réfléchit à ce que lui avait dit son compagnon, perplexe. Et, plus d'une fois, elle fut sur le point de réclamer de M. Thorpe une expression plus claire de son opinion vraie sur le sujet. Elle se contint : il lui semblait que M. Thorpe n'excellait pas à rendre nettes les choses d'abord ambiguës. Au surplus, supporterait-il que sa sœur et son ami s'exposassent à un danger dont il pouvait aisément les garder ? Elle conclut donc qu'il devait savoir la voiture parfaitement sûre et elle cessa de s'alarmer. Lui-même paraissait avoir tout oublié, et sa conversation, ou plutôt son verbiage, n'eut dès lors plus d'autre sujet que sa personne et ses affaires. Il parla de chevaux qu'il avait achetés une bagatelle et vendus des sommes incroyables ; de matches, de courses dont il avait pronostiqué, d'un jugement ferme, le gagnant ; de parties de chasse dans lesquelles il avait abattu (et sans un coup favorable) plus d'oiseaux que tous ses compagnons ensemble ; et il décrivit telles fameuses journées de chasse au renard où son habileté à diriger les chiens et sa perspicacité avaient réparé les fautes des chasseurs les plus experts. À cheval, sa témérité l'avait jeté dans maints périls : il était toujours resté sauf, là où se fût cassé les reins tout autre.

Si peu qu'elle eût l'habitude de juger par elle-même et si vagues que fussent ses notions sur la qualité de gentleman, Catherine, tandis qu'elle recueillait ces bavardages interminables, sentait naître en elle un doute : M. Thorpe était-il vraiment aussi agréable qu'on avait dit ? Doute audacieux : car ce jeune homme était le frère d'Isabelle, et James lui avait assuré que ses manières étaient pour plaire à toutes les femmes. En dépit de ces cautions, elle n'avait pas tardé à éprouver de la compagnie de M. Thorpe un ennui qui alla croissant jusqu'à leur retour dans Pulteney Street, un ennui qui ne laissait pas de la mettre en garde contre de si hautes autorités et contre les prestiges de M. Thorpe.

À la porte des Allen, Isabelle exprima son regret qu'il fût trop tard pour qu'elle entrât avec son amie. « Il est plus de trois heures ! » C'était inconcevable, incroyable, impossible. Elle ne voulut croire ni sa propre montre, ni celle de son frère, ni celles des domestiques. Toute évidence échouait contre son scepticisme, quand enfin Morland tira sa montre et promulgua l'heure. Dès lors, le moindre doute eût été également inconcevable, incroyable et impossible ; mais elle admira encore et encore que deux heures et demie eussent passé si vite. Catherine fut prise à témoin. Catherine ne pouvait mentir, même pour plaire à Isabelle. Au surplus, celle-ci échappa à la tristesse d'entendre la voix dissidente de son amie : elle n'attendit point sa réponse. Ses propres sentiments l'absorbaient toute. Elle souffrait d'être obligée de rentrer directement à la maison ; il y avait des siècles qu'elle n'avait pu causer un instant avec sa chère Catherine… ; elle avait mille choses à lui dire… Il semblait qu'elles ne dussent jamais se revoir. Ainsi, avec le sourire d'une misère exquise, elle dit adieu à son amie, et passa.

Mme Allen, après ses coutumières heures d'oisiveté laborieuse, venait de rentrer. Catherine fut accueillie d'un : « Eh bien ! ma chère, vous êtes-là ! » – vérité qu'elle n'avait pas à contester.

— J'espère que vous avez fait une agréable promenade.

— Oui, madame, merci, on ne pouvait avoir plus beau temps.

— Mme Thorpe le disait aussi. Elle se réjouissait de vous savoir tous à la promenade.

— Vous avez vu Mme Thorpe ?

— Oui, je suis allée à la Pump-Room dès votre départ. Je l'ai rencontrée là, et nous avons beaucoup causé. Elle disait qu'on pouvait si difficilement se procurer du veau, au marché, ce matin. Il est extraordinairement rare.

— Avez-vous vu d'autres personnes de connaissance ?

— Oui, nous avons fait un tour au Crescent, où nous avons rencontré Mme Hughes en compagnie de M. et de Mlle Tilney.

— Ah ! vraiment ? Vous ont-ils parlé ?

— Oui, nous nous sommes promenés au Crescent ensemble pendant une heure et demie. Ils ont l'air bien gentil. Mlle Tilney avait une très jolie robe de mousseline à pois. D'après ce que j'ai pu entendre, elle s'habille toujours élégamment. Mme Hughes m'a beaucoup parlé de la famille Tilney.

— Et que vous a-t-elle dit ?

— Oh ! beaucoup de choses. Elle n'a guère parlé d'autre chose.

— Vous a-t-elle dit de quelle partie de Gloucestershire ils sont ?

— Oui, mais voilà que je ne m'en souviens plus. Ce sont de très braves gens, et très riches. Mme Tilney était une demoiselle Drummond. Mme Hughe a été sa compagne de classe. Mlle Drummond avait une grande fortune et, quand elle se maria, son père lui donna vingt mille livres, plus cinq cents pour acheter son trousseau. Mme Hughes en vit toutes les pièces, à leur livraison.

— Et M. et Mme Tilney sont-ils à Bath ?

— Oui, je crois qu'ils sont ici, mais je n'en suis pas tout à fait certaine. À la réflexion, pourtant, je crois me souvenir qu'ils sont morts tous deux, au moins la mère. Oui, je suis sûre que la mère est morte, car Mme Hughes m'a dit que M. Drummond avait donné à sa fille, quand elle se maria, une très belle parure de perles, et Mlle Tilney la porte maintenant ; on l'avait mise de côté à son intention, à la mort de la mère.

— Et M. Tilney, mon danseur, est-il fils unique ?

— Je ne saurais être affirmative sur ce point, ma chère. Je crois vaguement qu'il est fils unique. Mais, quoi qu'il en soit, c'est un jeune homme accompli, prétend Mme Hughes, et qui ira loin.

Catherine ne posa pas d'autres questions. Elle en avait entendu assez pour comprendre que Mme Allen était incapable de donner un renseignement topique, et elle était particulièrement malheureuse d'avoir manqué une rencontre avec le frère et la sœur. Si elle avait prévu la possibilité d'une rencontre, rien ne l'eût décidée à partir avec les Thorpe. En l'état des choses, elle ne put que gémir sur sa malchance et rêver à ce qu'elle avait perdu, tant qu'à la fin il fut clair pour elle que la promenade n'avait été agréable en aucune façon et que John Thorpe lui-même était un bien fâcheux personnage.

X

Le soir, les Allen, les Thorpe et les Morland se retrouvèrent au théâtre ; Catherine et Isabelle se mirent l'une à côté de l'autre ; Isabelle allait donc enfin donner cours aux mille choses qu'elle avait collectionnées depuis la si lointaine rencontre précédente.

— Ô ciel ! ma bien-aimée Catherine, est-ce enfin vous ? fut sa question, tandis que Catherine entrait dans la loge et s'asseyait près d'elle. Maintenant, monsieur Morland (il était son autre voisin), je ne vous dirai pas un mot de toute la soirée, je vous en avertis. Ma très douce Catherine, comment vous êtes-vous portée, tout ce temps ? mais je n'ai pas besoin de vous le demander, vous avez une mine charmante. Vous vous êtes coiffée dans un style plus divin que jamais ; malheureuse créature, vous voulez donc captiver tout le monde ? Je vous assure que mon frère est déjà féru de vous ; et, quant à M. Tilney

– mais c'est une chose entendue, – même votre modestie ne peut plus douter de son amour ; son retour à Bath est assez éloquent. Oh ! que ne donnerais-je pas pour le voir ! Je me sens d'une furieuse impatience. Ma mère dit que c'est le jeune homme le plus délicieux qui soit au monde ; elle l'a vu ce matin, vous savez. Il faut que vous me le présentiez. Est-il ici ? Regardez bien, pour l'amour du ciel ! Je vous assure, je ne vivrai pas tant que je ne l'aurai vu.

— Non, dit Catherine, il n'est pas ici. Jamais je ne parviens à le rencontrer.

— Oh ! affreux ! Ferai-je jamais sa connaissance ? Comment trouvez-vous ma robe ? Je ne la crois pas mal : les manches sont de mon invention. Que je vous dise, je suis infiniment dégoûtée de Bath ! Votre frère et moi étions d'accord, ce matin, que, quoiqu'on y soit fort bien pour un séjour de quelques semaines, nous ne voudrions pas y vivre, quand on nous donnerait des millions. Nous reconnûmes bientôt que nos goûts étaient exactement les mêmes : nous préférions tous deux le séjour de la campagne à tout autre séjour ; nos opinions étaient si exactement pareilles que c'en était ridicule. Nous ne différions sur aucun point. Pour rien au monde, je n'aurais voulu que vous fussiez là ; vous êtes une si maligne chose que vous auriez fait, j'en suis sûre, des remarques moqueuses.

— Non, vraiment, je n'en aurais pas fait.

— Oh ! si vous en auriez fait. Je vous connais mieux que vous ne vous connaissez. Vous nous auriez dit que nous semblions nés l'un pour l'autre, ou quelque folie de cette espèce, ce qui m'aurait troublée au-delà de toute expression ; mes joues seraient devenues rouges comme vos roses ; pour rien au monde, je n'aurais voulu que vous fussiez là.

— Vraiment, vous êtes injuste ; je n'aurais pas de si inconvenante remarque ; et, d'ailleurs, je suis sûre que je n'en aurais pas même eu l'idée.

Isabelle sourit d'un air incrédule, et, le reste de la soirée, c'est à James qu'elle parla.

Le lendemain matin, Catherine était toujours décidée à faire ses grands efforts pour rencontrer Mlle Tilney ; et, jusqu'à l'heure habituelle d'aller à la Pump-Room, elle vécut dans la crainte d'un contretemps. Mais il n'y en eut pas ; nul visiteur ne vint retarder le départ ; et tous trois entrèrent à la Pump-Room à l'heure normale. M. Allen, après avoir bu son verre d'eau, rejoignit quelques messieurs ; ils parlèrent de la politique du jour, comparèrent les informations de leurs journaux ; les dames circulaient, observant chaque figure nouvelle, chaque nouveau chapeau. La partie féminine de la famille Thorpe, attendue par James Morland, apparut dans la foule au bout d'un quart d'heure, et Catherine prit immédiatement sa place coutumière au côté de son amie. James, qui maintenant était toujours sur le qui-vive, se plaça symétriquement, et, s'étant séparés du groupe, ils marchèrent ainsi, jusqu'à ce que Catherine commençât à mettre en doute les avantages de cette position qui, l'associant entièrement à son amie et à son frère, lui valait une part si faible de l'attention de l'un et de l'autre. Ils étaient toujours engagés dans quelque discussion sentimentale ou quelque plaisante querelle ; mais ils ne parlaient pas, ils chuchotaient ou riaient, et, bien que son opinion fût fréquemment invoquée par l'un ou par l'autre, Catherine eût été fort en peine de la leur faire connaître, faute d'avoir entendu un seul mot du litige. Enfin elle put quitter son amie : elle voulait absolument parler à Mlle Tilney, qui entrait avec Mme Hughes et qu'elle rejoignit aussitôt. Mlle Tilney l'accueillit gracieusement, lui rendit ses amabilités, et elles continuèrent à causer aussi longtemps que leurs groupes restèrent dans la salle ; il est vraisemblable qu'elles ne firent aucune observation et n'employèrent aucune expression qui n'eussent été faite et employée des milliers de fois déjà, chaque saison, à Bath ; pourtant, marquées de simplicité, de sincérité et de cordialité vraie, leurs paroles devaient être quelque chose d'assez peu commun.

— Comme votre frère danse bien ! fut, vers la fin de cette causerie, l'ingénue exclamation qui surprit d'abord et amusa l'interlocutrice de Catherine.

— Henry ? répondit-elle avec un sourire. Oui, il danse fort bien.

— Il a dû s'étonner de m'entendre dire, l'autre jour, que j'étais engagée, alors qu'il me voyait assise. Mais réellement j'étais engagée, depuis le matin, par M. Thorpe.

Mlle Tilney s'inclina.

— Vous ne pouvez croire, ajouta Catherine après un moment de silence, combien je fus surprise de le revoir. Moi qui étais si sûre qu'il était parti.

— Quand Henry a eu le plaisir de vous rencontrer la première fois, il n'était à Bath que pour une couple de jours : il y était venu pour nous louer un appartement.

— Je n'aurais jamais deviné cela ; et, naturellement, ne le voyant nulle part, je le croyais loin. N'était-ce pas une demoiselle Smith, la jeune personne qui dansait avec lui, lundi ?

— Oui, une connaissance de Mme Hughes.

— Elle paraissait très heureuse de danser. La trouvez-vous jolie ?

— Pas très jolie.

— Il ne vient jamais à la Pump-Room, n'est-ce pas ?

— Si, quelquefois ; mais il est sorti à cheval, ce matin, avec mon père.

Mme Hughes les rejoignit alors, et demanda à Mlle Tilney si elle était prête à partir.

— J'espère que j'aurai le plaisir de vous revoir bientôt, dit Catherine. Serez-vous au cotillon demain ?

— Peut-être… Oui, nous y serons certainement.

— J'en suis heureuse, nous y serons tous.

Elles se quittèrent, Mlle Tilney avec quelques données sur les sentiments de son amie nouvelle, et Catherine sans la moindre conscience de les lui avoir fournies.

Elle rentra très heureuse. La matinée avait répondu à tous ses espoirs, et la soirée du jour suivant était maintenant l'objet de son attente. Quelle robe et quelle coiffure aurait-elle, devenait son principal souci. La toilette est toujours chose frivole, et, à lui accorder trop de sollicitude, on fait souvent fausse route. Catherine le savait fort bien : sa grand'tante lui avait fait à ce sujet une lecture, à Noël dernier. Pourtant, une fois au lit, elle resta encore éveillée dix minutes, à délibérer sur la robe qu'elle mettrait : mousseline à pois, ou mousseline brodée. Le manque de temps l'empêcha d'en acheter une nouvelle. C'eût été une erreur considérable, quoique point rare, et contre laquelle une personne de l'autre sexe plutôt qu'une personne de son sexe, et un frère plutôt qu'une grand tante eût pu la prévenir : seul un homme peut savoir combien un homme est indifférent aux charmes d'une robe neuve. Ce serait mortifier maintes et maintes dames que leur apprendre – mais entendraient-elles ? – combien peu le cœur d'un homme est sensible à ce qu'il y aura de coûteux ou de neuf dans leur attirail, combien il est aveugle à la texture d'un tissu, ce cœur, et combien il est incapable d'opter à bon escient entre le jaconas, la batiste, le nansouk et l'organdi, même brodé au tambour. Une femme est élégante pour sa seule satisfaction. Nul homme ne l'en admirera plus, nulle femme ne l'en aimera mieux. Mais aucune de ces graves réflexions ne troublait Catherine.

Elle entra dans les Rooms le jeudi soir, avec des sentiments tout autres que ceux qu'elle y avait apportés le lundi. Elle, qui alors avait été fort satisfaite d'être invitée par Thorpe, était surtout maintenant soucieuse d'échapper à sa vue, de peur qu'il l'invitât de nouveau. Et, quoiqu'elle ne pût, n'osât s'attendre à voir, une troisième fois, M. Tilney l'inviter à danser, ses vœux, espoirs et plans ne tendaient à rien autre.

En ce moment critique, toute femme peut sentir pour mon héroïne, car toute femme a connu ces agitations. Toutes ont été ou, du moins, ont cru être exposées à la poursuite d'un insupportable fâcheux ; toutes ont été anxieuses des attentions de quelqu'un à qui elles désiraient plaire. Dès que les Thorpe furent là, l'agonie commença : Catherine se déplaçait quand John Thorpe s'approchait, elle se dérobait à sa vue le plus possible et, s'il lui parlait, feignait de ne pas l'entendre. Le cotillon était fini, on préludait à la contredanse, et pas trace des Tilney.

— Ne vous effrayez pas, ma chère Catherine, chuchota Isabelle : décidément je vais encore danser avec votre frère. Je déclare que c'est inconvenant tout à fait. Je lui ai dit qu'il devrait être honteux de lui, mais vous et John nous tiendrez compagnie. Hâtez-vous, chère créature, de nous rejoindre. John vient de sortir, mais rentrera dans l'instant.

Catherine n'eut ni le temps ni le désir de répondre. Ils s'éloignaient. John Thorpe était toujours à l'horizon, et elle se sentait déjà sa proie. Pour ne pas paraître le voir ou l'attendre, elle gardait obstinément les yeux sur son éventail. Espérer rencontrer les Tilney dans cette foule et avant le retour de John Thorpe était folie, se disait-elle, et, comme elle prononçait ainsi sa propre condamnation, soudain elle s'entendit inviter par M. Tilney lui-même. Les yeux brillants, elle se leva et, joyeuse, s'éloigna à son bras. Échapper si opportunément à John Thorpe et être aussitôt invitée à danser par M. Tilney, comme s'il l'avait cherchée – il ne semblait pas à Catherine que la vie pût contenir félicité plus grande.

Mais à peine avaient-ils trouvé une place, que son attention fut appelée par John Thorpe, qui se tenait derrière elle :

— Quoi donc, quoi donc ! miss Morland, disait-il, qu'est-ce que cela signifie ? Je croyais que nous devions danser ensemble.

— Je m'étonne que vous l'ayez cru, vous ne m'aviez pas invitée.

— C'en est une bonne, par Jupiter ! Je vous ai invitée dès mon arrivée et j'allais justement vous inviter de nouveau, mais vous étiez partie. Un sacré tour que vous me jouez là ! Je suis venu pour danser avec *vous*, et je crois bien que vous étiez engagée envers moi depuis lundi. Oui, oui, je me souviens, je vous ai invitée pendant que vous attendiez votre manteau dans le vestibule. J'ai annoncé à tous mes amis que j'allais danser avec la plus jolie fille de Bath. S'ils vous voient avec un autre, ils me blagueront fameusement.

— Mais non, mais non, ils ne penseront jamais que je sois la personne que vous avez définie ainsi.

— Par les cieux ! s'ils ne le pensent pas, je les jetterai hors d'ici à grands coups de pied, comme des ganaches. Quel compagnon avez-vous là ? (Catherine satisfit sa curiosité.) Tilney, répéta-t-il, hum ! Je ne le connais pas. Bonne tournure, bien bâti. A-t-il besoin d'un cheval ? J'ai ici un ami, Sam Fletcher, qui en a un à vendre. Une fameuse bête pour la route ; quarante guinées seulement. J'ai eu cinquante fois envie de l'acheter, car c'est une de mes maximes : quand vous rencontrez un bon cheval, achetez-le ; mais celui-là n'est pas ce qu'il me faut : il ne vaudrait rien pour galoper à travers champs. Je donnerais de l'argent pour un bon hunter. J'en ai maintenant trois, les meilleurs qu'on ait jamais montés. Je ne les céderais pas pour huit cents guinées. Fletcher et moi avons l'intention de prendre une maison dans le Leicestershire, à la saison prochaine. C'est bougrement inconfortable de vivre à l'auberge.

Ce fut la dernière sentence dont il put fatiguer Catherine, car un irrésistible flot de jupes l'emporta. M. Tilney se rapprocha.

— Ce monsieur, lui dit-il, aurait lassé ma patience s'il était resté avec vous une demi-minute de plus. Nous avons fait un contrat d'amabilité réciproque pour un soir, et l'amabilité de chacun de nous appartient à l'autre tout ce temps-là. Personne ne peut forcer l'attention de l'un sans attenter aux droits de l'autre. Je considère la contredanse comme l'emblème du mariage. Là et là, miss Morland, la fidélité et l'affection sont les devoirs principaux ; et les gens qui ne sont disposés ni à danser ni à se marier n'ont rien à faire avec les danseuses ou les femmes de leurs voisins.

— Ce sont là choses si différentes…

— … Que vous croyez qu'elles ne peuvent être comparées ?

— Je le crois. Les gens qui se marient doivent ne jamais se séparer. Ceux qui dansent se tiennent en face l'un de l'autre dans une grande salle, pendant une demi-heure.

— Et telle est votre définition du mariage et de la danse. Sous ce jour, certainement leur ressemblance n'est pas frappante ; mais je veux bien les voir de votre point de vue. Vous en conviendrez : dans les deux cas, l'homme a la faculté de choisir ; la femme, seulement celle de refuser ; dans les deux cas, il y a entre l'homme et la femme un engagement ferme pour l'avantage de chacun ; une fois cet engagement conclu, ils appartiennent exclusivement l'un à l'autre ; c'est le devoir de chacun de ne donner à son partenaire nul motif de regretter n'avoir pas disposé autrement de soi ; c'est l'intérêt de chacun de ne pas s'attarder complaisamment aux perfections des étrangers et de ne pas s'imaginer qu'avec eux la vie eût été plus belle. Me concédez-vous tout cela ?

— Oui, et tout cela est bel et bon. Pourtant ce sont choses bien différentes. Je ne puis les voir sous le même angle, ni croire qu'elles comportent les mêmes devoirs.

— À certains égards, il y a, en effet, une différence. Dans le mariage, l'homme est supposé subvenir aux besoins de la femme, la femme rendre la maison agréable à son mari. Il ravitaille et elle sourit. Dans la danse, ces obligations sont exactement inverses : à lui, incombent les gracieusetés et les complaisances, tandis qu'elle fournit l'éventail et l'eau de lavande. C'était, j'imagine, la différence de devoir qui vous paraissait rendre impossible une comparaison.

— Non, vraiment, je ne pensais pas à cela.

— Alors, je n'y suis plus. Une remarque encore. Cette disposition de votre esprit est plutôt alarmante. Vous niez toute similitude dans les obligations ; ne puis-je en inférer que vos notions des devoirs d'une personne qui danse ne sont pas aussi précises que pourrait le souhaiter votre partenaire ? N'ai-je pas raison de craindre que si le gentleman qui vous parlait tout à l'heure revenait ici, ou si quelque autre gentleman s'adressait à vous, rien ne vous dissuaderait de prolonger la conversation avec lui ?

— M. Thorpe est un ami intime de mon frère. S'il me parle, il faut bien que je lui réponde ; mais, outre lui, il y a à peine trois messieurs dans la salle que je connaisse.

— Et c'est ma seule sauvegarde ? hélas ! hélas !

— Mais… vous ne sauriez en avoir de meilleure ; car si je ne connais pas les gens, je ne leur parlerai pas. Au surplus, je ne désire parler à personne.

— Vous venez de me donner une sécurité de bon aloi, et je puis continuer. Trouvez-vous Bath aussi agréable que lorsque j'eus l'honneur de m'en enquérir déjà ?

— Oui, certes ; et plus encore. Vraiment.

— Plus encore ! Prenez garde, ou vous oublierez d'en être fatiguée en temps convenable. On doit en être fatigué au bout de six semaines.

— Je ne pense pas que je puisse m'en fatiguer, quand j'y resterai six mois.

— Bath, au prix de Londres, est fastidieux, et chacun fait cette découverte chaque année. Pour six semaines, je veux que Bath soit assez agréable ; mais, ce temps passé, c'est le plus ennuyeux séjour qui soit. Vous entendrez dire cela par des gens de toute catégorie, qui viennent régulièrement tous les hivers étirer leurs six semaines en dix ou douze, et qui s'en vont enfin parce qu'ils ne peuvent pas se permettre de rester plus longtemps.

— Soit. Il faut donc juger par soi-même ; et les gens qui connaissent Londres peuvent dédaigner Bath. Moi, qui habite un petit village perdu dans la campagne, je ne peux vraiment pas trouver Bath moins gai que mon village ! il y a ici une variété de distractions, une variété de choses à voir et à faire.

— Vous n'aimez pas beaucoup la campagne

— Si, beaucoup. J'y ai toujours vécu et j'y ai toujours été heureuse. Mais certainement il y a plus de monotonie dans la vie à la campagne que dans la vie à Bath. Une journée à la campagne est semblable à la journée suivante et à toutes les autres.

— Mais vous employez votre temps d'une façon plus raisonnable, à la campagne.

— Croyez-vous ?

— Ne croyez-vous pas ?

— Je ne crois pas qu'il y ait grande différence.

— Ici vous êtes en quête d'amusements tout le long du jour.

— Et de même à la campagne ; mais j'en trouve moins. Je me promène ici, et ainsi fais-je là-bas ; ici, du moins, je vois des gens plein les rues, et là-bas je ne peux rien voir que Mme Allen.

M. Tilney s'amusait fort.

— Ne rien voir que Mme Allen ! répétait-il. Quel tableau de détresse intellectuelle ! Mais, quand vous retomberez dans cet abîme, vous aurez un thème : vous parlerez de Bath et de tout ce que vous y aurez fait.

— Oh ! oui ; je ne serai plus jamais embarrassée pour causer avec Mme Allen ou avec n'importe qui. Je crois vraiment que je parlerai toujours de Bath, quand je serai de retour à la maison ; j'aime tant Bath ! Si seulement j'avais ici papa et maman et le reste de ma famille, je serais trop heureuse. L'arrivée de James, mon frère aîné, m'a été très agréable ; et, justement, il avait pour amis intimes les membres de cette famille avec laquelle nous nous sommes liés ! Oh ! qui se fatiguerait de Bath ?

— Pas ceux qui y apportent de si frais sentiments. Mais papas, et mamans, et frères, et amis intimes, tout cela est bien suranné pour la plupart des habitués de Bath, et s'intéresser au bal, au théâtre et au spectacle de la vie quotidienne ne l'est pas moins.

Là finit leur conversation, de par les exigences de la danse.

Bientôt après qu'ils eurent atteint le bout de la salle, Catherine se sentit regardée attentivement par un monsieur qui se tenait, parmi les spectateurs, immédiatement derrière M. Tilney. C'était un homme de belle allure et de masque énergique, dont la jeunesse était passée, mais non pas la verdeur. Elle le vit bientôt qui, la regardant toujours, disait familièrement à voix basse quelques mots à M. Tilney. Confuse d'appeler l'attention et rougissante, elle détourna la tête. Le monsieur parti, M. Tilney, se rapprochant d'elle :

— Je vois que vous êtes inquiète de ce qui vient de m'être demandé. Ce monsieur connaît maintenant votre nom, vous avez le droit de connaître le sien. C'est le général Tilney, mon père.

La réponse de Catherine fut simplement : « Oh ! » mais ce fut un « oh ! » expressif. Elle suivit des yeux le général qui circulait à travers la foule.

« Quelle belle famille ! » pensa-t-elle.

En causant avec Mlle Tilney un instant après, elle sentit naître en elle une nouvelle source de félicité. Elle n'avait jamais fait d'excursion à la campagne depuis son arrivée à Bath. Souvent Mlle Tilney parlait des environs, ce qui rendait Catherine plus impatiente encore de les connaître. Sur sa crainte exprimée de ne trouver personne qui les lui montrât, le frère et la sœur lui proposèrent de l'emmener un jour ou l'autre.

— Cela me plaira plus que tout au monde, s'écria-t-elle ; mais, laissez-moi vous en prier, que ce soit demain.

— Ils acceptèrent, sous la réserve, faite par Mlle Tilney, qu'il ne plût pas – et Catherine était convaincue qu'il ne pleuvrait pas. À midi, ils iraient la chercher, Pulteney Street. « N'oubliez pas, midi » fut le mot d'adieu de Catherine à sa nouvelle amie. L'autre amie, l'ancienne amie, l'amie en possession d'état, Isabelle, dont elle avait expérimenté pendant quinze jours la fidélité et les mérites, elle ne la vit presque pas de la soirée. Elle eût voulu pourtant lui dire son bonheur. Mais elle se soumit joyeusement au désir de M. Allen de rentrer tôt, et, jusqu'à la maison, ses pensées dansèrent en elle, comme elle dansait dans la voiture.

XI

Le lendemain matin, le temps était très indécis ; le soleil faisait de bien vagues efforts pour percer. Catherine en tira le meilleur augure. À cette époque de l'année, quand il faisait trop beau temps le matin, il pleuvait dans l'après-midi ; une matinée nuageuse laissait le champ libre à toutes améliorations. Elle en appela à M. Allen, afin qu'il confirmât son présage. Mais M. Allen, en cet exil, n'avait pas son ciel à lui ni son baromètre : il refusa d'annoncer le beau temps. Elle en appela à Mme Allen, dont l'opinion fut plus positive. Mme Allen ne doutait point que la journée fût à souhait – si les nuages se dissipaient et si apparaissait le soleil.

Vers onze heures, quelques gouttes de pluie sur les vitres attirèrent l'attention de Catherine.

— Oh ! Je crois que le temps sera humide. Pas de promenade pour moi aujourd'hui, soupira-t-elle. Peut-être ce ne sera-t-il rien, peut-être cessera-t-il de pleuvoir avant midi.

— Peut-être, mais alors, ma chère, il fera si sale...

— Oh ! il n'importe : je ne crains pas la boue.

— Oui, répondit très placidement son amie, vous ne craignez pas la boue.

Un silence.

— Il pleut de plus en plus fort, dit Catherine, debout devant la fenêtre.

— En effet. S'il continue à pleuvoir, les rues seront bien mouillées.

— Déjà quatre parapluies ouverts. Je hais les parapluies.

— C'est si ennuyeux à porter.

— La matinée s'annonçait si bien. J'étais si convaincue qu'il ne pleuvrait pas.

— Qui ne l'aurait cru, en effet ? Il y aura bien peu de monde à la Pump-Room, s'il pleut toute la matinée. M. Allen fera bien de mettre son manteau quand il sortira ; mais je suis sûre qu'il ne le mettra pas : tout, plutôt que de sortir avec un manteau ! Je m'étonne qu'il n'aime pas cela : ce doit être si confortable.

La pluie continuait à tomber assez fort. De cinq en cinq minutes, Catherine allait à la pendule et, au retour, déclarait que, s'il pleuvait cinq minutes de plus, elle cesserait d'espérer. La pendule marqua midi, et il pleuvait toujours.

— Vous ne pourrez pas sortir, ma chère.

— Je ne désespère pas encore tout à fait. Je ne renoncerai pas à espérer avant midi et quart. C'est juste le moment de la journée où le temps peu s'éclaircir. Déjà ne fait-il pas un peu moins sombre ? Là ! il est midi vingt. Je me rends. Oh ! s'il faisait ici le temps qu'il faisait à Udolphe, la nuit que le pauvre Saint-Aubin mourut, un si beau temps !

À midi et demi – et Catherine, désormais sans espoir, avait cessé de scruter le ciel – le ciel commença à s'éclaircir. Un rayon atteignit la jeune fille. Elle leva la tête. Les nuages se dissipaient. Elle se campa devant la fenêtre, pour épier et saluer l'avènement du soleil. Dix minutes plus tard, il était avéré que l'après-midi serait très belle, ce qui justifiait l'opinion de Mme Allen, « qui avait toujours pensé que le temps s'éclaircirait ». Mais Catherine pouvait-elle encore espérer la venue de ses amis ?

N'avait-il pas plu trop fort pour que Mlle Tilney se risquât à sortir ?

Il y avait trop de boue pour que Mme Allen accompagnât son mari à la Pump-Room. M. Allen sortit donc seul. Il était à peine au bout de la rue, que l'attention de Catherine fut attirée par deux voitures, découvertes, charriant trois personnes, ces mêmes voitures et ces mêmes personnes dont l'arrivée l'avait tant surprise quelques jours auparavant.

— Isabelle, mon frère et M. Thorpe ! Ils viennent pour moi, peut-être ; mais je n'irai pas : vraiment, je ne veux pas aller, car, vous le savez, il n'est pas encore dit que Mlle Tilney ne vienne pas.

Mme Allen en convint. Cependant John Thorpe montait l'escalier à grandes enjambées.

— Dépêchez-vous ! dépêchez-vous, miss Morland ! cria-t-il en ouvrant la porte. Mettez vite votre chapeau. Pas de temps à perdre ! Nous allons à Bristol. Comment ça va, madame Allen ?

— À Bristol ? n'est-ce pas très loin ? Quoi qu'il en soit, je ne puis vous accompagner : je suis engagée. J'attends des amis d'un moment à l'autre.

Thorpe se récriait : « Ce n'était pas une raison. » Mme Allen fut appelée à l'aide. Isabelle et James entrèrent prêter secours à John Thorpe.

— Ma chère Catherine, ce sera délicieux, une promenade divine. Vous nous devez, à votre frère et à moi, des remerciements. L'idée de cette excursion nous est venue à tous deux, pendant le déjeuner. Et nous serions en route depuis deux heures, n'eût été cette détestable pluie. N'importe. Les nuits sont claires. Nous ferons une exquise promenade. Je suis en extase à la pensée d'un peu de campagne et de tranquillité. C'est bien mieux que d'aller aux Lower Rooms. Nous irons directement à Clifton, où nous dînerons. Aussitôt après le dîner, si nous en avons le temps, nous partirons pour Kingsweston.

— Je doute que nous puissions faire tout cela, dit Morland.

— Espèce de trouble-fête ! s'écria Thorpe. Nous en ferons dix fois plus. Kingsweston, eh ! Et Blaize Castle aussi ! Et tout ce dont nous entendrons parler ! Mais voilà votre sœur qui ne veut pas venir !...

— Blaize Castle, dit Catherine, qu'est cela ?

— Le plus joli coin de l'Angleterre. Cela vaut qu'on fasse cinquante milles, n'importe quand, pour le voir.

— Est-ce vraiment un château ? Un vieux château ?

— Le plus vieux du royaume.

— Comme ceux dont on parle dans les livres ?

— Exactement. Tout à fait le même.

— Mais a-t-il réellement des tours, de longs couloirs ?

— Par douzaines.

— J'aimerais bien le voir. Mais je ne peux pas, je ne peux pas vous accompagner.

— Ne pas nous accompagner, ma chère âme ! Que voulez-vous dire ?

— Je ne puis pas, parce que... (elle baissait les yeux, craignant le sourire d'Isabelle) j'attends Mlle Tilney et son frère qui doivent me venir prendre pour une promenade à la campagne. Ils avaient promis d'être là à midi, à moins qu'il ne plût. Maintenant qu'il fait si beau, je crois qu'ils seront bientôt ici.

— Non, s'écria Thorpe. Comme nous tournions Broad Street, je les ai vus... N'a-t-il pas un phaéton avec de beaux alezans ?

— Je ne sais pas.

— Je sais qu'oui. C'est bien l'individu avec qui vous avez dansé hier soir, n'est-ce pas ?

— Oui.

— Eh bien ! Je l'ai vu qui montait Landsdown Road. Il promenait une pimpante fille.

— Vous l'avez vu, vraiment ?

— Vu, sur mon âme ! Reconnu tout de suite ! Et il m'a même semblé qu'il avait de beaux chevaux.

— C'est bien singulier ! Sans doute pensait-il qu'il y aurait trop de boue.

— Et avec raison. De ma vie je n'ai vu tant de boue. Marcher ! Vous voleriez plutôt ! Il n'a pas fait si sale de tout l'hiver. De la boue jusqu'à la cheville.

Isabelle corrobora ces informations.

— Ma chère Catherine, vous ne sauriez vous faire une idée de cette boue. Venez, il faut que vous veniez, vous ne pouvez plus refuser de venir.

— J'aimerais voir ce château... Mais... peut-on le visiter entièrement ? Peut-on monter chaque escalier, errer dans l'enfilade des salles ?

— Oui, oui ! Visiter les moindres trous, les moindres recoins.

— Mais s'ils ne sont sortis que pour une heure, jusqu'à ce qu'il fasse plus sec, et s'ils viennent me chercher ensuite...

— Soyez tranquille. Pas de danger. J'ai entendu Tilney crier à un cavalier qui passait près de lui qu'ils allaient à Wick Rocks.

— Alors, je veux bien. Irai-je, madame Allen ?

— Comme il vous plaira, ma chère.

— Madame Allen, persuadez-lui de venir ! fut le cri unanime.

Mme Allen ne fut pas sourde à cet appel.

— Bien, ma chère, dit-elle. Je suppose que vous irez.

Deux minutes après, ils étaient partis.

Catherine, tandis qu'elle montait en voiture, était partagée entre le regret de délaisser un grand plaisir et l'espoir de goûter bientôt un plaisir différent, mais non moins grand peut-être. Elle ne pensait pas que les Tilney eussent agi tout à fait bien de rompre si vite leur engagement, sans lui envoyer un mot d'excuse : il ne s'était guère écoulé qu'une heure depuis le moment d'abord fixé pour la promenade, et, en dépit de la désolante description qui lui avait été faite de l'état des chemins, elle ne tarda pas à s'apercevoir qu'on pouvait circuler sans tant de difficulté. Ce manque d'égards lui était très pénible. D'autre part, la joie de visiter un château pareil à celui d'Udolphe (son imagination se représentait ainsi Blaize Castle) devait la faire passer sur bien des contretemps.

Rapidement, ils descendirent Pulteney Street et traversèrent Laura Place. Thorpe parlait à ses chevaux. Elle pensait tour à tour à des promesses rompues et à des voûtes croulantes, à des phaétons et à de mystérieux huis, aux Tilney et à des oubliettes. Comme ils traversaient Argyle Buildings, elle fut tirée de ses réflexions par Thorpe :

— Qui est cette jeune fille qui vous dévisageait en passant près de nous ?

— Qui ? où ?

— Là-bas. Elle doit être presque hors de vue maintenant.

Catherine regarda, et elle vit Mlle Tilney au bras de son frère : ils descendaient lentement la rue. Elle les vit se retourner et la regarder.

— Arrêtez, arrêtez, monsieur Thorpe ! criait-elle avec impatience. C'est Mlle Tilney, c'est elle ! Comment avez-vous pu me dire qu'ils étaient partis ? Arrêtez, arrêtez ! Je veux descendre tout de suite et les rejoindre.

Paroles vaines. Thorpe, tout simplement, lâcha les rênes, et le trot s'accéléra. Les Tilney ne se retournaient plus. À l'angle de Laura Place, ils disparurent. Cependant, le cabriolet traversait au grand trot Market Place, s'engageait dans une rue, et toujours Catherine suppliait Thorpe :

— Je vous en prie, je vous en prie, arrêtez monsieur Thorpe ! Je ne peux pas aller plus loin, je ne veux pas aller plus loin ! Il faut que je rejoigne Mlle Tilney !

Thorpe se contentait de rire, faisait claquer son fouet, encourageait son cheval, poussait des grognements saugrenus, et allait toujours. Catherine, furieuse et désolée tout ensemble, captive là, fut obligée de se soumettre. Mais elle n'épargna pas Thorpe.

— Comment avez-vous pu me tromper ainsi, monsieur Thorpe ? Comment avez-vous pu dire que vous les aviez vus monter Lansdown Road ? Combien je voudrais que rien de tout cela ne fût arrivé ! Ils doivent trouver bien étrange, bien grossier que je passe si près d'eux sans un mot ! Vous ne pouvez pas savoir à quel point je suis contrariée. Rien, à Clifton, rien, dans cette promenade, ne me fera plaisir. J'aimerais même dix mille fois mieux descendre maintenant et les rejoindre. Comment avez-vous pu me dire que vous les aviez vus en phaéton ?

Thorpe se défendit très vivement, déclara qu'il n'y avait jamais eu telle ressemblance, et renonça très difficilement à croire que ce ne fût pas Tilney lui-même qu'il avait vu.

Leur promenade, même close cette discussion, ne pouvait être fort agréable. L'indulgence dont Catherine avait fait preuve jusque-là disparut. Elle écoutait à contre-cœur, et ses réponses étaient brèves. Blaize Castle restait sa seule consolation, lui souriait encore par intervalles. Plutôt que d'être défavorablement jugée par les Tilney, elle eût pourtant renoncé aux joies que recélaient ces murs : parcourir la longue enfilade de hautes salles déshabitées depuis des ans, où s'éternisent de somptueux vestiges ; heurter, au bout d'un étroit et tortueux souterrain, une porte basse et qui crie sur ses gonds ; frissonner au coup de vent brusque qui éteint la lampe, la seule lampe, et alors demeurer dans le noir. Cependant, ils continuaient leur chemin sans incident, et ils arrivaient en vue de Keynsham, quand un « holà ! » de Morland arrêta Thorpe. Les autres joignirent la première voiture.

— Rebroussons chemin, Thorpe, dit Morland ; il est trop tard pour aller plus loin aujourd'hui. C'est aussi l'avis de votre sœur. Il y a juste une heure que nous avons quitté Pulteney Street, et nous n'avons guère fait plus de sept milles ; il nous en reste à faire au moins huit ; c'est trop. Nous ne sommes pas partis assez tôt. Mieux vaudrait surseoir à notre projet et rentrer.

— Complètement égal, répondit Thorpe.

Il tourna bride, et l'on roula vers Bath.

— Si votre frère n'avait cette sale bête à conduire, dit-il, nous aurions fort bien pu aller jusqu'au bout. Livré à lui-même, mon cheval serait déjà à Clifton : je me suis désarticulé à le maintenir au pas de cette poussive rosse. Morland est un sot de n'avoir pas à lui un cheval et un cabriolet.

— Non, ce n'est pas un sot, dit chaleureusement Catherine ; il ne peut avoir ni cheval, ni cabriolet.

— Et pourquoi ne peut-il pas ?

— Parce qu'il n'a pas assez d'argent.

— Et à qui la faute ?

— À personne, que je sache.

Thorpe alors, dans cette bruyante et indistincte manière qui lui était habituelle, émit des mots : c'était une cré nom de chose que l'avarice ; si les gens qui roulaient sur l'or ne pouvaient tout s'offrir, qui le pourrait ?... Catherine n'essaya même pas de comprendre. Déçue dans ce qui l'avait consolée de son désappointement premier, elle était de moins en moins disposée à être aimable ou à trouver tel son compagnon ; ils rentrèrent à Pulteney Street sans qu'elle eût prononcé vingt paroles.

À l'arrivée de Catherine, un valet de pied lui dit qu'un monsieur et une dame s'étaient enquis d'elle ; qu'en apprenant son absence, la dame avait demandé si l'on n'avait pas laissé un mot, puis avait voulu déposer une carte, s'était aperçue qu'elle n'en avait pas et était partie. Méditant ces nouvelles qui lui déchiraient l'âme, Catherine montait l'escalier avec lenteur. Au haut, elle trouva M. Allen qui, apprenant la cause de ce prompt retour, proféra :

— Je suis heureux que votre frère ait été si raisonnable, heureux que vous soyez revenus. C'était un plan singulier et extravagant.

Ils allèrent tous passer la soirée chez les Thorpe. Catherine était taciturne. Quant à Isabelle, elle aimait autant s'associer à la fortune de Morland dans un jeu de commerce, que de goûter des joies champêtres dans une hôtellerie, à Clifton, et, d'autre part, elle formula plus d'une fois sa satisfaction de n'être pas aux Lower Rooms.

— Comme je plains les pauvres gens qui y sont ! Que je suis heureuse de n'être pas parmi eux ! Je me demande si le bal sera réussi... On n'a pas encore commencé à danser... Pour rien au monde je ne voudrais y être. C'est si délicieux d'avoir de temps à autre une soirée à soi ! Je suis sûre que ce ne sera pas un bien remarquable bal... Je sais que les Mitchell n'y seront pas... Comme je compatis au sort de ceux qui sont à ce bal ! Mais il me semble bien, monsieur Morland, que vous languissez d'y être ; ne languissez-vous pas ? Je suis sûre que vous languissez. Je vous en prie, que personne ici ne vous empêche d'y aller. Ma foi, nous saurons nous passer de vous. Mais vous, les hommes, vous vous croyez tant d'importance...

Et, à la triste Catherine, elle offrait, par acquit de conscience, ce réconfort :

— Ne soyez pas si sombre, ma chère âme : vous me brisez le cœur. C'est affreux, certes ; mais les Tilney n'étaient-ils pas dans leur tort ? Que n'ont-ils été plus ponctuels ! Les chemins étaient mauvais, sans doute ; qu'importait ? À coup sûr, John et moi n'y aurions pas fait attention. Je traverserais le feu pour une amie. Je suis ainsi, moi. Et ainsi est John. Il a des sentiments d'une force !... Bonté divine, quelle excellente main vous avez ! Des rois, ma parole ! Je n'ai de ma vie été si heureuse ! J'aime cinquante fois mieux voir ces rois dans vos cartes que dans les miennes...

Et maintenant, je puis envoyer Catherine vers la couche d'insomnie qui sied à une héroïne de roman. Qu'elle se tienne pour satisfaite si, au cours des trois mois qui vont suivre, elle a une nuit de sommeil calme.

XII

— Madame Allen, dit Catherine le lendemain matin, si je passais chez Mlle Tilney aujourd'hui ?… Je ne serai tranquille que quand j'aurai tout expliqué.

— Allez, ma chère. Mais mettez une robe blanche : Mlle Tilney porte toujours du blanc.

Catherine savait que la demeure des Tilney était dans Milsom Street, mais elle n'était pas sûre du numéro, et les renseignements vacillants de Mme Allen n'étaient pas pour dissiper son incertitude. Elle alla donc à la Pump-Room prendre l'adresse précise, puis se hâta vers la demeure du général, expliquer sa conduite à Mlle Tilney et se faire pardonner. Le cœur lui battait. Elle traversa vite le cimetière de l'église ; elle détourna la tête en passant devant certain magasin où, selon toutes probabilités, se trouvaient Isabelle et sa chère famille. Elle atteignit enfin la maison, fit sonner le heurtoir et demanda Mlle Tilney. Le domestique croyait bien que sa maîtresse était là, mais n'en était pas sûr. Si la visiteuse voulait donner son nom... Elle remit sa carte. Quelques instants après, le domestique revint, et avec un regard mal adapté à ses paroles, dit qu'il s'était trompé : Mlle Tilney était absente. Catherine resta persuadée que Mlle Tilney était là, mais ne voulait pas la recevoir. Comme elle redescendait la rue, elle ne put s'empêcher de tourner les yeux vers les fenêtres du salon. Personne ne s'y montrait. Au bas de la rue, elle se retourna encore, et vit Mlle Tilney, non pas à la fenêtre, mais qui sortait de la maison. Un monsieur l'accompagnait, que Catherine supposa être le père... Ils allaient vers Edgar's Buildings. Catherine, très mortifiée, continua son chemin. Cette fois, elle aurait pu, à son tour, se froisser ; mais elle réprima tout ressentiment : savait-elle comment les lois mondaines jugeaient l'impolitesse qu'elle-même avait commise et à quelles représailles, précisément, elle devait s'attendre ?

Ainsi dédaignée, elle eut quelque envie de ne pas suivre ses amis au théâtre, ce soir-là. Mais elle reconnut bientôt : d'abord, qu'elle n'avait aucune excuse pour rester à la maison, et, en second lieu, qu'elle tenait beaucoup à voir la pièce. Ils allèrent donc tous au théâtre.

Nul Tilney n'apparut pour la punir ou la charmer. Elle craignit que, parmi les nombreuses qualités de la famille, ne figurât pas le goût du théâtre. Peut-être étaient-ils habitués au jeu plus fin des artistes de Londres, ce jeu qui, elle le savait par l'autorité d'Isabelle, dégoûtait de toute autre interprétation. Catherine jouit pleinement du spectacle. La pièce l'absorbait toute : qui l'eût observée au cours des quatre premiers actes, n'eût remarqué sur son visage nulle expression chagrine. Au début du cinquième, l'apparition soudaine de M. Tilney et de son père dans une loge la fit de nouveau anxieuse. La pièce désormais ne captivait plus son attention. Ses yeux allaient vers la loge, et, pendant deux scènes, elle chercha vainement à croiser le regard de Henry Tilney. On ne pouvait certes plus prétendre qu'il n'aimât pas le théâtre : son attention, pendant ces deux scènes-là, ne s'était pas détournée des planches. À la fin cependant, il regarda Catherine, salua, mais quel salut ! Il ne sourit pas, ne continua pas à la regarder ; derechef, ses yeux se fixèrent sur les acteurs. Catherine était infiniment malheureuse. Pour un peu, elle se fût rendue à la loge qu'il occupait, le forcer à entendre une explication. On voit que son âme n'avait pas la roideur héroïque : au lieu de se pavoiser de ressentiment, de laisser la peine d'éclaircir les faits à qui lui faisait l'injure de douter d'elle et de le punir en l'évitant ou en flirtant avec un autre, elle assumait la responsabilité des apparences et cherchait l'occasion de se justifier. La pièce finit ; le rideau tomba : seul restait dans la loge M. Tilney père. Peut-être Henry se dirigeait-il vers la loge de Catherine, Et, en effet, il apparut, se frayant un chemin à travers la foule déjà raréfiée. Il parla du même ton de politesse calme à Mme Allen et à Catherine. Mais Catherine :

— Oh ! monsieur Tilney, je puis donc vous parler et vous faire mes excuses. Vous avez dû me croire si impolie… Mais vraiment ce n'était pas ma faute, n'est-ce pas, madame Allen ? Ne m'avaient-ils pas dit que M. Tilney et sa sœur étaient sortis en phaéton ? Que pouvais-je faire ? J'aurais mille fois préféré être avec vous. N'est-ce pas, madame Allen ?

— Ma chère, vous chiffonnez ma robe, fut la réponse de Mme Allen.

L'affirmation de Catherine subsistait seule. Elle amena un sourire plus cordial sur les lèvres de Henry Tilney, qui répondit, non sans l'affectation d'une légère réserve :

— Nous vous avons été très obligés, quand même, de nous avoir souhaité bonne promenade, après nous avoir croisés dans Argyle Street : vous avez eu l'amabilité de regarder vers nous, à cet effet.

— Mais… Je ne vous ai pas souhaité bonne promenade. Non, non ; dès que je vous ai vus, j'ai supplié M. Thorpe d'arrêter son cheval. Dites, madame Allen, n'ai-je pas… Ah ! vous n'étiez pas là… Mais c'est vrai, je l'ai supplié. Et si M. Thorpe avait consenti à arrêter son cheval, je sautais de la voiture et courais après vous.

Est-il au monde un Henry qui eût été insensible à une telle déclaration ? Henry Tilney ne le fut pas. Avec un beau sourire, il dit tout ce qui devait être dit touchant sa sœur : regrets… certitude que la conduite de Catherine serait expliquée…

— Oh ! ne dites pas que Mlle Tilney n'est pas fâchée, s'écria Catherine ; je sais qu'elle l'est : elle n'a pas voulu me recevoir ce matin, et je l'ai vue sortir un moment après. Cela m'a attristée, pas offensée. Peut-être ne saviez-vous pas que c'était moi.

— Je n'étais pas à la maison, mais j'ai entendu Éléonore souhaiter vous voir pour vous expliquer… Au fait, peut-être pourrai-je donner l'explication moi-même. Voici : mon père – ils étaient prêts à sortir – s'impatientait déjà ; et, pour ne pas manquer la promenade, il dit au domestique qu'Éléonore n'était pas visible. C'est tout, je vous assure. Ma sœur en fut très contrariée ; elle désirait vous présenter le plus tôt possible ses excuses.

Cette explication apaisa Catherine. Il persistait en elle toutefois une légère inquiétude, d'où résulta, dépourvue d'artifice, mais un peu déconcertante, cette question :

— Mais, monsieur Tilney, pourquoi avez-vous été moins généreux que votre sœur ? Si elle avait, confiance, elle, en mes intentions, si elle pensait bien qu'il n'y avait là qu'un malentendu, pourquoi vous êtes, vous, si vite offensé ?

— Moi ? que je me sois offensé...

— Oui, j'en suis sûre, votre regard, quand vous êtes entré dans la loge n'était que trop explicite, vous étiez très fâché.

— Fâché ? Je n'en avais pas le droit.

— Personne n'eût pensé que vous n'aviez pas ce droit, à voir l'expression de votre visage.

Il répondit en la priant de lui faire une place. Il resta là quelque temps, parla de la pièce, fut charmant avec Catherine, trop pour qu'elle pût être contente quand il prit congé. Avant de se quitter, ils décidèrent que la promenade projetée aurait lieu le plus tôt possible ; et, abstraction faite du regret que lui causa ce départ, elle fut une des plus heureuses créatures du monde.

Pendant qu'il parlait, elle avait remarqué avec quelque surprise que John Thorpe, qui n'était jamais à la même place dix minutes consécutives, s'entretenait avec le général Tilney, et elle ressentit quelque chose de plus que de la surprise quand elle crut, à leurs regards, remarquer qu'elle était l'objet de leur conversation. Que pouvaient-ils bien dire ? Elle craignait avoir déplu au général : plutôt que de retarder sa promenade de quelques instants, il avait empêché sa fille de la recevoir.

— Comment M. Thorpe connaît-il votre père ? demanda-t-elle, non sans un peu d'inquiétude, en les désignant à son compagnon.

Il l'ignorait. Son père, comme tous les militaires, avait de très nombreuses relations.

La représentation finie, Thorpe s'offrit à accompagner les deux femmes. Catherine fut aussitôt l'objet de sa galanterie, et, tandis qu'ils attendaient dans le vestibule, il prévint les questions imminentes de Catherine en lui disant, avec importance :

— M'avez-vous vu parler au général Tilney ? C'est un beau vieux bonhomme, sur mon âme ! solide, actif ! Il paraît aussi jeune que son fils. J'ai beaucoup de considération pour lui, je vous assure. Très gentleman, et le meilleur garçon de la terre.

— Mais comment le connaissez-vous ?

— Le connais ? Il y a peu de gens de la société de Londres que je ne connaisse. Je l'ai rencontré autrefois au Bedford, et j'ai reconnu aujourd'hui sa tête comme il entrait dans la salle de billard. C'est un des plus forts joueurs que nous ayons, par parenthèse. Nous avons joué une partie ensemble, quoique je ne fusse pas sans inquiétude. Et, à un certain moment, j'étais perdu, si je n'avais fait le coup le plus étonnant qui peut-être ait jamais été fait. J'ai attaqué sa bille exactement... mais je ne puis vous expliquer cela sans un billard... Enfin, je l'ai battu. Un beau gaillard ! riche comme un juif ! Je voudrais dîner chez lui : il doit donner de fameux dîners ! Mais de quoi pensez-vous que nous ayons parlé ? De vous. Oui, par le ciel ! Et le général vous trouve la plus jolie fille de Bath.

— Quelle absurdité ! Comment pouvez-vous dire cela !

— Et que croyez-vous que j'ai dit ? (Baissant la voix :) Bien parlé, général ! ai-je dit. Je suis tout à fait de votre avis.

Catherine, moins flattée de l'admiration de Thorpe que de celle du général Tilney, ne fut pas fâchée qu'à ce même moment Mme Allen l'appelât. Thorpe voulut les accompagner jusqu'à la voiture, ce qu'il fit en assénant sur Catherine, qui protestait en vain, ses délicates amabilités coutumières.

Au lieu de déplaire au général Tilney, provoquer son admiration était délicieux. Catherine se complaisait à penser que désormais il n'était aucun des Tilney qu'elle craignît de rencontrer.

XIII

Lundi, mardi, mercredi, jeudi, vendredi, samedi sont maintenant passés en revue ; les événements de chaque jour – espoirs et craintes, ennuis et joies – ont été détaillés à tour de rôle, et il ne reste à dire que les transes du dimanche pour que la semaine soit close. Pendant la promenade au Crescent, le projet Clifton, qui avait été différé, revint à l'ordre du jour. Il y eut une consultation entre Isabelle et James – comme ils avaient à cœur, Isabelle, de partir, James, de plaire à Isabelle, il fut convenu que, sauf mauvais temps, l'expédition aurait lieu le lendemain et qu'on se mettrait en route de très bonne heure afin de ne pas rentrer à la maison trop tard. L'affaire décidée et l'approbation de Thorpe obtenue, il ne restait plus qu'à prévenir Catherine. Elle les avait laissés quelques minutes, pour parler à Mlle Tilney. Dans l'intervalle, le plan avait été complété, et Catherine, dès son retour, fut invitée à l'approuver ; mais, au lieu du joyeux acquiescement qu'attendait Isabelle, Catherine, très contrariée, exprima ses regrets. Elle avait déjà une fois, pour les accompagner, manqué à un engagement – inconvenance qu'elle ne pouvait renouveler : or il venait d'être entendu entre elle et Mlle Tilney que leur promenade manquée aurait lieu le lendemain ; c'était tout à fait entendu, et elle ne pouvait sous aucun prétexte reprendre sa parole.

Mais qu'elle pouvait et devait la reprendre, ce fut le cri véhément des deux Thorpe : ils voulaient aller à Clifton le lendemain ; ils ne sauraient y aller sans elle ; elle n'avait qu'à retarder d'un jour son autre excursion ; ils ne pouvaient admettre un refus. Catherine était désolée, mais non réduite.

— N'insistez pas, Isabelle. Je me suis engagée envers Mlle Tilney. Il m'est impossible d'être des vôtres.

Cela ne servit de rien. Les mêmes arguments l'assaillirent de nouveau.

— Il vous serait si facile de dire à Mlle Tilney que vous vous rappelez tout à coup une promesse antérieure et de la prier de remettre à mardi sa promenade.

— Non, ce ne me serait pas facile, et je ne puis : je n'ai fait nulle promesse antérieure.

Isabelle se fit de plus en plus pressante, s'adressant à elle dans les formes les plus affectueuses, l'appelant des noms les plus caressants. Sa très chère, sa si douce Catherine ne repousserait pas la pauvre petite requête d'une amie qui l'aimait si tendrement. Sa bien-aimée Catherine avait trop bon cœur pour ne pas se laisser persuader par ceux qu'elle aimait. En vain – Catherine se sentait dans son droit, et, quoique émue par une supplication si tendre et si flatteuse, elle ne se laissait pas influencer. Isabelle adopta donc une autre méthode. Elle lui reprocha d'avoir plus d'affection pour Mlle Tilney que pour ses vieux amis et d'être devenue envers elle froide et indifférente.

— Je ne peux m'empêcher d'être jalouse, Catherine, quand je me vois préférer des étrangers, moi qui vous aime si passionnément ! Une fois mes affections placées, elles le sont à jamais. Mais je crois mes sentiments plus forts que ceux de personne ; oui, ils sont trop forts pour ma tranquillité ; et me voir supplantée dans votre amitié par des étrangers, cela, je l'avoue, me pique au vif. Ces Tilney, ma parole, veulent tout avaler.

Catherine estimait ce reproche étrange et inconvenant tout ensemble. Était-ce là le fait d'une amie ? Isabelle lui apparut mesquine et égoïste, ne prenant garde à rien qu'à sa propre satisfaction. Ces pénibles idées se croisaient dans son esprit ; elle ne disait rien. Isabelle, dans le même temps, se tamponnait les yeux avec son mouchoir ; et Morland, désolé à ce spectacle, avait beau dire :

— Non, Catherine, vraiment vous ne pouvez résister davantage. Le sacrifice qu'on vous demande est bien peu de chose ; et ne pas le faire pour une telle amie, ce serait vraiment mal.

C'était la première fois que son frère se déclarait ouvertement contre elle. Toute troublée d'avoir encouru son blâme, elle proposa un compromis. S'ils consentaient à renvoyer à mardi leur projet, ce qu'ils pouvaient faire facilement, puisque cela dépendait d'eux seuls, elle les accompagnerait, et tout le monde serait content. « Non, non, non ! » fut l'immédiate réponse ; « cela ne peut être, car Thorpe ne sait pas s'il pourra aller à Clifton mardi ». Catherine en était désolée, mais elle ne pouvait rien de plus. Il y eut un silence, rompu bientôt par Isabelle, qui dit, d'un ton de froid ressentiment :

— Fort bien, c'est la fin de notre partie. Si Catherine reste, je reste. Il n'y aurait pas d'autre femme que moi : ce serait vraiment trop inconvenant.

— Catherine, il faut que vous veniez avec nous, dit James.

— Mais pourquoi M. Thorpe n'emmènerait-il pas une autre de ses sœurs ? J'ose dire qu'il en est bien une à qui ce serait agréable.

— Ouais ! merci bien ! clama Thorpe. Je ne suis pas venu à Bath pour promener mes sœurs et avoir l'air d'un fou. Non, si vous ne venez pas, le diable m'emporte si je pars ! Je voulais vous conduire, pas autre chose.

— C'est un compliment qui ne me cause nul plaisir.

Mais ces paroles furent perdues pour Thorpe qui venait de filer brusquement.

Les trois autres restèrent encore ensemble, pour le supplice de la pauvre Catherine : tantôt pas un mot ; tantôt elle subissait supplications ou reproches. Les deux jeunes filles se promenaient bras dessus, bras dessous, et leurs cœurs étaient en guerre. À certains moments, Catherine s'apitoyait, s'irritait à d'autres, toujours triste, mais toujours résolue.

— Je ne vous aurais pas crue si obstinée, Catherine, dit James ; d'ordinaire vous n'êtes pas si dure à persuader ; je voyais en vous la plus gentille de mes sœurs.

— Je ne crois pas avoir changé, répondit-elle, très émue ; mais vraiment je ne puis aller. Si je fais mal, je fais du moins ce que je crois être bien.

— Je doute, dit Isabelle à mi-voix, qu'il y ait eu grande lutte.

Catherine eut le cœur gros ; elle retira son bras, à quoi Isabelle ne fit nulle opposition. Dix longues minutes s'étaient écoulées, quand Thorpe, l'air jovial, survint, criant :

— Bon ! l'affaire est maintenant dans le sac ; nous partons tous demain et bien tranquilles. J'ai été à Mlle Tilney et lui ai fait vos excuses.

— Vous n'avez pas fait cela ! s'écria Catherine.

— Si fait, sur mon âme ! Viens de la quitter. Lui ai dit, de votre part, que vous vous étiez rappelé un engagement antérieur d'aller à Clifton avec nous demain et que vous n'auriez donc pas le plaisir de sortir avec elle avant mardi. A dit qu'elle aimait autant mardi. Tout va. Une jolie idée que j'ai eue là, hein ?

Une fois de plus, Isabelle était tout sourires et belle humeur, et James, derechef, se sentait heureux.

— Une idée divine, en effet ! Et maintenant, ma douce Catherine, nos ennuis sont finis ; vous êtes honorablement dégagée, et nous ferons la partie la plus délicieuse.

— Ce ne sera pas, dit Catherine ; je ne peux m'en tenir à cela. Je vais courir après Mlle Tilney et lui dire la vérité.

Isabelle la saisit par une main, Thorpe par l'autre ; et les remontrances abondamment coulèrent de tous trois sur elle. James était furieux. Quand tout était arrangé, quand Mlle Tilney elle-même convenait que mardi était complètement absurde, absolument ridicule.

— N'importe ! M. Thorpe n'avait pas à inventer cette histoire. Si j'avais jugé à propos de me dégager, j'aurais parlé moi-même à Mlle Tilney. Et, d'ailleurs, comment savoir ce qu'a fait M. Thorpe ? Il s'est trompé de nouveau peut-être. Il m'a déjà fait commettre une impolitesse, par sa méprise de vendredi. Laissez-moi partir, monsieur Thorpe, Isabelle ne me tenez pas.

Thorpe déclara qu'il serait inutile d'essayer de rattraper les Tilney ; ils tournaient l'angle de Brock Street quand il les avait abordés ; ils étaient donc chez eux maintenant.

— Alors je les rejoindrai, dit Catherine ; où qu'ils soient, j'essayerai de les retrouver. Mais c'est assez parler. Après avoir à bon escient refusé une chose, je ne me la laisserai certes pas imposer par surprise.

Sur ces mots, elle s'éloigna brusquement. Thorpe voulait courir après elle, mais Morland le retint.

— Qu'elle s'en aille donc, puisqu'elle veut s'en aller. Elle est aussi entêtée qu'…

Thorpe ne compléta pas sa comparaison, qui sans doute n'eût pas été des plus délicates.

Catherine allait, allait, aussi vite que le lui permettait la foule, inquiète d'une poursuite, mais bien résolue à persévérer. En marchant, elle réfléchissait à ce qui venait de se passer. Il lui était pénible de les désappointer et de leur déplaire, surtout de déplaire à son frère ; mais elle ne se repentait pas de sa résistance. Mettant ses préférences de côté, manquer une seconde fois à son engagement envers Mlle Tilney, rétracter une promesse faite de bon gré cinq minutes auparavant, et cela sous un faux prétexte, eût été mal. Elle ne les avait pas contrecarrés au seul bénéfice de ses propres désirs, puisque ses désirs précisément l'eussent entraînée vers Blaize Castle ; non, elle avait tenu compte de ce qu'elle devait aux autres et à la dignité de son caractère. Toutefois, sa certitude d'avoir raison ne suffisait pas à la calmer : tant qu'elle n'aurait pas parlé à Mlle Tilney, elle ne serait pas tranquille. Elle sortit sans encombre du Crescent, et c'est en courant presque qu'elle atteignit le haut de Milsom Street. Si rapides avaient été ses pas, que les Tilney, malgré leur avance, venaient à peine de rentrer quand elle arriva en vue de leur logis. Le domestique était encore sur le seuil de la porte ; elle lui dit, sans plus, qu'elle devait voir Mlle Tilney sur l'heure, preste, le précéda dans l'escalier et, ouvrant à tout hasard une porte, elle se trouva inopinément en présence du général Tilney, de son fils et de sa fille. Ses explications – auxquelles il ne manquait rien que d'être des explications (les nerfs en émoi, le souffle coupé…) elle les donna aussitôt :

— Je suis venue en grande hâte ; c'est un malentendu ; je n'ai jamais promis d'aller avec eux ; dès le début, je leur ai dit que je ne le pouvais pas ; j'ai couru, couru, pour vous expliquer cela ; vous penserez de moi ce que vous voudrez ; je ne pouvais pas attendre le domestique.

Malgré ce discours ou grâce à lui, l'énigme peu à peu se dissipa. Catherine apprit que John Thorpe l'avait en effet, excusée, et Mlle Tilney ne dissimula pas la surprise que lui avait causée cette excuse. Henry avait-il été contrarié, lui aussi ? Catherine ne put en décider ; elle avait pris soin pourtant de s'adresser, dans sa plaidoirie, au frère autant qu'à la sœur. D'ailleurs, quel que fût leur état d'esprit avant que Catherine entrât, tout fut amical autour d'elle dès ses premiers mots.

L'incident clos, Mlle Tilney la présenta à son père, qui lui témoigna la plus vive sollicitude. Sans prendre garde à ce qu'il y avait eu d'extraordinairement fougueux dans l'entrée de la jeune fille, il se montra fort irrité contre le domestique qui, par sa négligence, l'avait réduite à ouvrir elle-même la porte de l'appartement. À quoi pensait donc William ? Il ferait une enquête à ce sujet. – Et peut-être William, si Catherine n'avait chaleureusement plaidé sa cause, eût-il perdu, sinon sa place, du moins la faveur de son maître.

Au bout d'un quart d'heure, Catherine se leva pour prendre congé. Le général Tilney la surprit agréablement en la priant à dîner et en l'engageant à passer avec sa fille le reste de la journée. Mlle Tilney joignit ses vœux à ceux de son père. Catherine remercia. Elle était très flattée, mais ne pouvait dire « oui » : M. et Mme Allen l'attendaient d'une minute à l'autre. Le général s'inclina devant les droits de M. et Mme Allen. Mais, un autre jour qu'on pourrait les avertir à temps, peut-être ne refuseraient-ils pas de se priver de Catherine en faveur d'Éléonore. Oh ! Catherine était sûre qu'ils ne feraient aucune objection, et elle aurait grand plaisir à venir. Le général accompagna Catherine jusqu'à la porte de la rue ; tout en descendant l'escalier, il lui décernait mille compliments, admirait l'élasticité de sa marche, etc., et, comme ils se séparaient, il lui fit un des saluts les plus gracieux qu'elle eût jamais vu faire.

Charmée du résultat de sa visite, Catherine se dirigea allégrement vers Pulteney Street. Elle marchait, se disait-elle, avec quelle élasticité ! ce dont elle ne s'était encore jamais aperçue. Elle arriva à la maison sans avoir rencontré personne du groupe Thorpe. Elle était donc victorieuse ; sa promenade avec les Tilney était assurée ; cependant l'agitation de ses esprits durait encore : Catherine commença à douter qu'elle eût tout à fait bien agi. Il est toujours noble de se sacrifier, et, en l'occurrence, avoir mécontenté une amie, courroucé un frère, ruiné un projet cher à tous deux, tout cela ne laissait pas de lui troubler la conscience. Pour savoir si elle s'était conduite, comme il fallait, elle voulut avoir l'avis d'une personne impartiale : elle parla devant M. Allen du projet à demi arrêté des Thorpe et de son frère pour le lendemain. M. Allen leva la tête :

— Pensez-vous les accompagner ?

— Non. Je suis engagée avec Mlle Tilney. Et à cause de cela je ne pourrai les accompagner, n'est-il pas vrai ?

— Certes, et heureux suis-je que vous n'y pensiez pas. Il n'est pas convenable que des jeunes gens et des jeunes filles parcourent ainsi le pays en cabriolet. De temps en temps, passe encore. Mais aller ensemble d'auberge en auberge, ce n'est pas correct, et je m'étonne que Mme Thorpe le permette. Je suis heureux que vous ne songiez pas à être de ces parties : elles ne plairaient pas à Mme Morland. N'êtes-vous pas, madame Allen, de mon avis ? Ne trouvez-vous rien à reprendre à ces façons ?

— Oui, je suis tout à fait de votre avis, en vérité. Les voitures découvertes sont de bien horribles choses ! Cela vous gâche en cinq minutes une toilette fraîche. En montant, vous êtes éclaboussée ; en descendant aussi ; et le vent ébouriffe vos cheveux et bouscule votre chapeau. Pour moi, je hais les voitures découvertes.

— Je sais. Mais là n'est pas la question. Ne trouvez-vous pas d'un mauvais effet que des jeunes filles et des jeunes gens parcourent le pays en voiture découverte ? insista M. Allen.

— Oui, ma chère Catherine, d'un très mauvais effet, en vérité. Je ne puis supporter de voir cela.

— Chère madame, alors pourquoi ne me l'avez-vous pas dit plus tôt ? Si j'avais su que ce fût incorrect, je ne serais pas sortie avec M. Thorpe. Mais je pensais que vous ne me laisseriez jamais faire quelque chose qui vous parût hors de propos.

— Et ainsi ferai-je, ma chère, vous pouvez en être sûre. Comme je l'ai dit à Mme Morland en la quittant, je ferai pour vous tout ce qui sera en mon pouvoir. Mais nous ne devons pas être trop exigeants. La jeunesse sera toujours la jeunesse, ainsi que votre bonne mère le dit elle-même. Vous vous souvenez bien que je vous ai conseillé, au début de notre séjour ici, de ne point acheter cette mousseline brodée. Mais vous n'avez pas voulu m'écouter. La jeunesse n'aime pas qu'on la contrarie.

— Mais, dans le cas qui nous occupe, il s'agissait d'un fait de réelle importance, et vous ne m'auriez pas trouvée difficile à persuader.

— Jusqu'ici le mal n'est pas grand, dit M. Allen. Je voulais seulement vous conseiller, ma chère, de ne plus sortir avec M. Thorpe.

— C'est juste ce que j'allais dire, ajouta sa femme.

Catherine, apaisée en sa conscience, se sentit naître des scrupules pour Isabelle : après un instant de réflexion, elle demanda à M. Allen s'il ne serait pas expédient qu'elle écrivît à Mlle Thorpe pour la mettre en garde. Elle se disait qu'Isabelle, en son ignorance, irait peut-être à Clifton le lendemain. M. Allen la dissuada d'écrire.

— Il vaut mieux ne pas vous occuper de cela, ma chère, dit-il. Isabelle est d'âge à savoir ce qu'elle a à faire, et, si elle ne le sait pas, sa mère est là. Mme Thorpe, sans aucun doute, est trop indulgente ; mais il n'importe : mieux vaut que vous n'interveniez pas. Votre amie et votre frère persisteraient dans leur projet et vous ne récolteriez que de la rancune.

Catherine se soumit, troublée pourtant à la pensée que son amie restât exposée à faire une chose incorrecte, et, quant à elle, heureuse que sa conduite eût l'agrément de M. Allen. Grâce à lui, elle avait la bonne fortune d'être maintenant sur ses gardes. Avoir échappé à l'excursion de Clifton était dès lors une délivrance. Qu'auraient pensé les Tilney, si elle avait failli à sa promesse : si elle s'était rendue coupable d'une infraction aux convenances, pour se donner le loisir d'en commettre une autre ?

XIV

Il faisait beau le lendemain, et Catherine s'attendait à une nouvelle attaque du groupe Thorpe. Sûre de l'appui de M. Allen, elle était sans crainte ; mais elle préférait éviter une lutte où la victoire même eût été pénible. À sa joie, nul Thorpe ne se manifesta. Les Tilney vinrent la chercher à l'heure dite.

À ce moment, aucune difficulté ne surgit : point d'invitation inopinée ni d'impertinente intrusion. Et mon héroïne – est-ce assez anormal ! – put remplir un engagement pourtant conclu avec le héros lui-même. Ils décidèrent d'aller à Beechen Cliff et se mirent en route.

— Jamais je n'ai regardé cette colline sans penser au midi de la France, dit Catherine.

Henry, un peu surpris :

— Vous avez été sur le continent ?

— Oh, non ! C'est un souvenir de lecture. Je pense si souvent au pays où voyagèrent Émilie et son père, dans *Les Mystères d'Udolphe*. Mais, sans doute, vous ne lisez pas de romans.

— Pourquoi donc ?

— Parce que ce n'est pas assez sérieux. Les messieurs lisent des livres plus graves.

— Ce n'est pas faire preuve d'esprit que de ne pas se plaire à un bon roman. J'ai lu tous les ouvrages de Mme Radcliffe, et avec grand plaisir. J'ai lu *Les Mystères* en deux jours ; mes cheveux se dressaient sur ma tête.

— Oui, ajouta Mlle Tilney, vous aviez commencé à me les lire. Appelée pour cinq minutes hors de la chambre, quand j'y rentrai, je ne vous trouvai plus : vous aviez emporté le volume à Hermitage Walk.

— Merci, Éléonore. Voilà un témoignage décisif, Vous voyez, miss Morland, que vos soupçons étaient injustes. Cinq minutes, c'était trop long à mon impatience ; au mépris de mes promesses, j'abandonnai ma sœur au moment le plus pathétique, et je m'enfuis avec le volume, qui pourtant lui appartenait. Voilà qui va me mettre dans vos bonnes grâces.

— Comme vous me faites plaisir ! Maintenant je n'aurai plus honte d'aimer *Udolphe*. Mais, je vous assure, je croyais que les jeunes gens méprisaient fort les romans.

— Ce mépris des jeunes gens pour les romans est peut-être excessif : ils en lisent autant que les femmes. Pour ma part, j'en ai lu des centaines et des centaines. Ne vous imaginez pas pouvoir rivaliser avec moi dans la connaissance des Julias et des Louisas. Si, passant aux détails, nous nous engageons dans l'enquête interminable des « Avez-vous lu ceci ? » et « Avez-vous lu cela ? », bientôt je vous laisserai aussi loin derrière moi que… – je cherche une comparaison topique –… aussi loin que votre amie Émilie elle-même laissa le pauvre Valencourt quand elle accompagna sa tante en Italie. Considérez que j'ai sur vous maintes années d'avance. Je faisais mes études à Oxford, que vous étiez une bonne petite fille qui peinait sur son marquoir.

— Pas très bonne, je crains. Mais, dites-moi, vraiment, ne trouvez-vous pas *Udolphe* le livre le plus joli qui soit ?

— Le plus joli ? par quoi vous entendez, je suppose, le plus joliment relié.

— Henry, dit Mlle Tilney, vous êtes très impertinent. Miss Morland, il vous traite absolument comme il traite sa sœur. Toujours il me cherche noise pour quelque incorrection de langage, et voilà qu'il prend avec vous la même liberté. Le mot « joli », employé comme vous avez fait, ne le satisfait pas. Il vaut mieux que vous en choisissiez un autre tout de suite, sinon nous serons écrasées de Johnson et Blair tout le long du chemin.

— Je ne croyais pas dire quelque chose d'incorrect. C'est un joli livre. Et pourquoi n'emploierais-je pas ce mot ?

— Très bien, dit Henry, et la journée est très jolie, et nous faisons une très jolie promenade, et vous êtes deux très jolies filles. Oh ! c'est un joli mot, vraiment. Il convient à toutes choses. Aujourd'hui n'importe quel éloge sur n'importe quel sujet s'exprime par ce mot-là.

— Venez, miss Morland ; qu'il médite sur nos fautes, du haut de son érudition, pendant que nous louerons *Udolphe* dans les termes qu'il nous plaira. C'est un livre des plus intéressants. Vous aimez beaucoup les lectures de ce genre ?

— À dire vrai, je n'en aime guère d'autres.

— Vraiment ?

— J'aime aussi les vers ; les pièces de théâtre et les voyages me plaisent assez. Mais l'histoire, la solennelle histoire réelle, ne m'intéresse pas. Et vous ?

— J'adore l'histoire.

— Comme je vous envie ! J'en ai lu un peu, par devoir ; mais je n'y vois rien qui ne m'irrite ou ne m'ennuie : des querelles de papes et de rois, des guerres ou des pestes à chaque page, des hommes qui ne valent pas grand-chose, et presque pas de femmes – c'est très fastidieux ; et parfois je me dis qu'il est surprenant que ce soit si ennuyeux, car une grande partie de tout cela doit être imaginé de toutes pièces. Les paroles mises dans la bouche des héros, leurs pensées, leurs projets, oui, tout cela doit être de pure invention, et ce qui me plaît le plus dans les autres livres, c'est précisément l'invention ; mais là elle est pauvre.

— Vous trouvez dit Mlle Tilney, que les historiens ne sont pas toujours heureux dans leurs, élans de fantaisie et qu'ils déploient de l'imagination sans exciter l'intérêt. Moi, j'adore l'histoire et accepte le faux avec le vrai. Pour les faits essentiels, les sources de renseignements sont les ouvrages antérieurs et les archives. N'est-ce donc rien ? On croit à tant d'autres choses que l'on n'a pas vues soi-même ! Quant aux embellissements dont vous parlez, je les aime comme tels. Si une harangue est bien tournée, je la lis avec plaisir – que m'importe son auteur ? – et sans doute avec un plaisir bien plus vif, œuvre de M. Hume ou du docteur Robertson, que si elle eût reproduit les paroles mêmes de Caractacus, d'Agricola ou d'Alfred le Grand.

— Vous aimez l'histoire. M. Allen et mon père l'aiment aussi. J'ai deux frères à qui elle ne déplaît pas. Voilà, si j'y songe, bien des répondants dans mon cercle restreint. Si les historiens trouvent des lecteurs, tout est bien. Mais je croyais qu'ils s'obstinaient à emplir de grands volumes, sans autre résultat que de tourmenter les petits garçons et les petites filles.

— Qu'ils torturent les petites filles et les petits garçons, on ne le peut nier ; mais – traitons-les moins légèrement – ils sont parfaitement aptes à torturer des lecteurs dont la raison est entièrement développée. Je dis « torturer » d'accord avec vous, au lieu d'« instruire », supposant que ces deux mots sont devenus synonymes.

— Vous me trouvez sotte d'appeler l'étude un tourment. Mais si vous aviez vu des enfants – comme j'ai toujours vu mes petits frères et mes petites sœurs – peiner des jours et des jours à apprendre leurs lettres, au point d'en être stupides, vous conviendriez que « tourmenter » et « instruire » peuvent quelquefois être synonymes.

— Soit. Mais les historiens ne sont pas responsables de la difficulté qu'il y a à apprendre à lire, et vous-même conviendrez qu'on peut bien se laisser torturer deux ou trois ans pour être capable de lire tout le reste de son existence. Songez que, si on n'enseignait pas à lire, Mme Radcliffe aurait écrit en vain, ou n'aurait pas écrit du tout.

Catherine approuva, et fit un chaud panégyrique de cet auteur. Les Tilney s'engagèrent alors dans une autre conversation. En personnes habituées à dessiner, ils discutèrent la façon de découper en tableaux le paysage qui se développait autour de Beechen Cliff. L'art du dessin était mystérieux pour Catherine. Elle écoutait avec une attention stérile, car les termes dont ils usaient n'éveillaient en elle aucune notion. De quoi elle avait grande honte : elle ignorait que, chez une fille avenante et bonne, il est des qualités primesautières qui ont plus de séduction qu'un savoir bien en vedette. Elle confessa son ignorance. Une leçon sur le pittoresque suivit immédiatement. Les explications de M. Tilney étaient si claires que tout ce qu'il admirait se revêtit de beauté pour Catherine, et il se plaisait à voir, dans l'attention passionnée de la jeune fille, une marque de goût naturel. Il parla d'avant-plans, de distances, d'arrière-plans, de perspective, de lumières, d'ombres, tant que, lorsqu'on fut au sommet de Beechen Cliff, Catherine, de sa propre initiative, rejeta toute la ville de Bath, comme indigne de faire partie d'un paysage. Charmé de ses progrès, mais craignant que trop de science en une fois la fatiguât, Henry fit dévier la conversation. Il parla d'une façon générale des forêts, des terres en friche, des domaines de la Couronne, arrivant ainsi, par de rapides et habiles transitions, au gouvernement et à la politique, et de la politique, naturellement, au silence.

Le silence fut rompu par Catherine qui, d'une voix un peu solennelle, prononça :

— La relation d'événements horribles nous arrivera bientôt de Londres.

Mlle Tilney, à qui ces paroles étaient spécialement adressées, tressaillit et dit avec vivacité :

— Vraiment ! et quelle sorte d'événements ?

— De quelle sorte, je ne sais, ni à qui nous devrons cela. On m'a seulement dit que ce serait plus horrible que tout ce qu'on a jamais vu.

— Ciel ! où avez-vous pu apprendre ces choses ?

— Une de mes amies intimes a reçu hier de Londres une lettre qui en parlait. Ce sera épouvantable d'une façon peu commune. Je m'attends à un crime ou à quelque chose de ce genre.

— Vous parlez avec un calme étonnant. Mais je veux croire que l'on a exagéré. Si de pareils desseins sont connus à l'avance, des mesures seront prises par le gouvernement pour en prévenir l'exécution.

— Le gouvernement, dit Henry, s'efforçant de ne pas sourire, n'ose ni ne désire intervenir en ces choses. Il faut qu'il y ait des meurtres et le gouvernement ne se soucie pas de leur nombre.

Les jeunes filles le regardèrent. Il ajouta en riant :

— Voyons, dois-je vous expliquer à toutes deux ce dont il s'agit, ou vous laisser vous embourber ? Je serai généreux. Je n'imiterai pas ces hommes qui dédaignent de se faire comprendre de vos pareilles. Peut-être l'esprit des femmes manque-t-il d'application, de discernement, d'activité…

— Miss Morland, ne faites pas attention à ce qu'il dit. Mais ayez la bonté de me donner satisfaction, touchant cette terrible émeute.

— Une émeute ? quelle émeute ?

— Ma chère Éléonore, l'émeute est uniquement dans votre cervelle. La confusion y est scandaleuse. Ce qui doit paraître à Londres – et Mlle Morland a-t-elle parlé d'autre chose ? – c'est un nouvel ouvrage en trois volumes in-12, de deux cent soixante-seize pages chacun, avec, comme frontispice au premier, deux pierres tombales et une lanterne, comprenez-vous ? Miss Morland, ma déplorable sœur a mal interprété tout ce que vous disiez et qui était si clair. Vous parliez d'horreurs auxquelles on s'attendait à Londres. Au lieu de comprendre, comme eût fait une personne raisonnable, que vos paroles ne pouvaient concerner que des histoires de cabinet de lecture, elle vit aussitôt trois mille hommes massés à Saint-George's Field, la Banque attaquée, la Tour menacée, les rues de Londres torrentueuses de sang, un détachement du 12e dragon léger (l'espoir de la nation) appelé de Northampton pour réprimer l'émeute, et le galant capitaine Frédéric Tilney, au moment de charger à la tête de sa troupe, jeté bas de son cheval par une brique lancée d'une fenêtre. Pardonnez-lui. Les craintes de la sœur ont ajouté à la faiblesse de la femme ; mais, à l'ordinaire, elle n'est point du tout une niaise.

Catherine semblait grave.

— Et maintenant, Henry, dit Mlle Tilney, que vous nous avez expliqué de quoi il s'agissait vous pourriez aussi rendre votre personnage plus clair à Mlle Morland : sinon vous risquez qu'elle vous trouve intolérablement dur pour votre sœur et d'une grande discourtoisie pour les femmes en général. Mlle Morland n'est pas habituée à vos façons bizarres.

— Je serais très heureux de lui faire faire plus ample connaissance avec elles.

— Soit. Mais ce n'est pas là une explication.

— Que dois-je faire ?

— Vous le savez bien. En galant homme, rendez-lui compréhensible votre caractère. Dites-lui que vous avez une très haute opinion de l'intelligence des femmes.

— Miss Morland, j'ai une très haute opinion de l'intelligence de toutes les femmes, surtout de celles – quelles qu'elles soient – en la compagnie de qui je me trouve.

— Ce n'est pas suffisant. Soyez plus sérieux.

— Miss Morland, personne ne peut avoir de l'intelligence des femmes meilleure opinion que moi. À mon avis, la nature leur a tant donné qu'elles ne trouvent jamais nécessaire d'en employer plus de la moitié.

— Il n'y a rien à en tirer de sérieux pour le moment, miss Morland. Mais il ne faut pas prendre ses paroles au pied de la lettre quand il paraît injuste pour les femmes ou désobligeant pour sa sœur.

Catherine n'avait à faire nul effort pour croire Henry Tilney impeccable. L'expression, elle en convenait, pouvait parfois surprendre, mais l'idée était toujours noble, et, du reste, ce qu'elle ne comprenait pas, elle était aussi encline à l'admirer que ce qu'elle comprenait. La promenade, qui toute fut charmante, se conclut à souhait pour Catherine : ses amis la reconduisirent chez elle, et Mlle Tilney obtint de Mme Allen la permission d'avoir Catherine à dîner le surlendemain.

Le temps avait passé d'une façon si agréable, qu'au cours de la promenade Catherine n'avait pas pensé une fois à Isabelle et à James. Les Tilney partis, sa sollicitude pour Isabelle revint ; mais Mme Allen ne détenait aucun renseignement qui pût rassurer Catherine. Celle-ci s'aperçut alors qu'elle avait besoin de quelques yards de ruban : il fallait de toute nécessité les acheter et sans un instant de délai. Elle sortit et, dans Bond Street, rejoignit la seconde des demoiselles Thorpe, qui flânait du côté d'Edgar's Buildings avec deux délicieuses jeunes filles qui avaient été ses amies chéries toute la matinée. Elle apprit ainsi que l'excursion à Clifton avait eu lieu.

— Ils sont partis ce matin à huit heures, dit Anne, et je ne les envie pas. Ce doit être la promenade la plus assommante. Il n'y a pas une âme à Clifton en ce moment. Belle était avec votre frère et John avec Maria.

Catherine exprima son plaisir de savoir que Maria était de la partie.

— Oui. Maria est avec eux. Elle était folle de joie. Elle s'attendait à quelque chose d'exquis. Drôle de goût ! Pour ma part, dès le premier moment, j'étais décidée à ne pas les accompagner, même s'ils m'en priaient instamment.

Catherine, un peu incrédule, ne put s'empêcher de dire :

— Quel dommage que vous n'ayez pu partir tous !

— Je vous remercie. Mais cela m'était bien égal. À aucun prix je n'aurais voulu être des leurs. Je le disais justement à Émilie et à Sophie quand vous nous avez rejointes.

Catherine resta sceptique ; mais, heureuse de savoir qu'Anne eût pour consolation l'amitié d'une Émilie et d'une Sophie, elle leur dit adieu sans tristesse, et rentra à la maison, se félicitant de ce que la partie n'eût pas été manquée du fait de son refus.

— Puisse-t-elle avoir été assez agréable pour que James et Isabelle ne soient pas restés sous la mauvaise impression de ma résistance ! souhaitait Catherine.

XV

Le lendemain de bonne heure une lettre d'Isabelle sollicitait, sur le mode le plus affectueux et pour une communication de haute importance, la présence immédiate de Catherine. Celle-ci se hâta vers Edgar's Buildings, toute curiosité, et prête, elle aussi, aux confidences. Les deux Thorpe cadettes étaient dans le petit salon et, pendant que l'une allait appeler sa sœur, Catherine demanda à l'autre quelques détails sur l'excursion de la veille. Maria ne se fit pas prier : la partie avait été la plus exquise du monde, inimaginablement charmante, plus délicieuse que rien qui se pût concevoir – et ainsi pendant les cinq premières minutes de la conversation. Les cinq suivantes furent du même ton quant aux détails. On avait poussé directement jusqu'à l'*Hôtel d'York*, avalé un potage, commandé le dîner ; ensuite on était descendu vers la Pump-Room, on avait goûté l'eau, dépensé quelque argent à de menus achats, pris des glaces chez un pâtissier ; puis on était retourné à l'hôtel, où on avait dîné rapidement afin d'être rentrés avant la nuit. Et ce retour avait été charmant. Toutefois la lune était absente – et il pleuvait un peu, – et le cheval de M. Morland était si las qu'on avait eu beaucoup de peine à le faire marcher. Catherine écoutait avec satisfaction : il n'avait pas été question de Blaize Castle, et le reste ne valait guère un regret.

— Quel dommage, dit Maria, en terminant, que ma sœur Anne n'ait pu venir. Elle était furieuse d'avoir été exclue de la partie. Elle ne me pardonnera jamais cela, j'en suis bien sûre. Mais quoi… John avait voulu m'emmener, et non pas elle : il ne lui trouvait pas la jambe assez bien faite. Elle en a pour longtemps à être de mauvaise humeur. Quant à moi, ce n'est pas si peu de chose qui me mettrait en colère.

Isabelle entra d'un pas allègre et s'épanouissant toute pour monopoliser l'attention. Maria fut renvoyée sans cérémonie, et Isabelle, embrassant Catherine, commença ainsi :

— Oui, ma chère Catherine, c'est vrai. Votre perspicacité n'a pas été en défaut. Quel œil de lynx que le vôtre ! Il voit à travers tout.

Catherine répondit par un regard d'ignorance étonnée.

— Non, ma chérie, ma douce chérie, calmez-vous. Je suis extrêmement agitée, comme vous voyez. Asseyons-nous et causons. Ainsi, vous l'avez deviné en recevant ma lettre, fille rusée ? Oh ! ma chère Catherine, vous qui seule connaissez mon cœur, vous pouvez juger de ma joie. Votre frère est l'homme le plus charmant. Je souhaiterais seulement être plus digne de lui. Mais que diront votre excellent père, votre excellente mère ? Cieux ! Quand je pense à eux, je suis si agitée !

Catherine commençait à comprendre et, avec la rougeur naturelle à une émotion si inattendue, elle s'écria :

— Ciel ! ma chère Isabelle, que voulez-vous dire ? Est-il possible, est-il possible vraiment que vous soyez éprise de James ?

Et, en effet, ces doux sentiments d'Isabelle envers James, au sujet desquels on célébrait si gratuitement la perspicacité de Catherine, s'étaient avérés réciproques, la veille, à la promenade. Jamais Catherine n'avait été la confidente d'une nouvelle si pathétique : son frère et son amie s'étaient fiancés ! Neuve à ces choses, leur importance lui semblait tenir du prodige et elle voyait là un de ces événements sans retour dans le cours ordinaire de la vie. Son joyeux émoi, qu'elle ne pouvait traduire, plut à Isabelle.

En se donnant le nom de sœurs, elles mêlèrent leurs baisers et leurs larmes heureuses.

Mais, pour ravie que fût Catherine à la perspective de cette union, comment eût-elle lutté de lyrisme avec Isabelle ? celle-ci disant :

— Vous me serez infiniment plus chère, ma Catherine, qu'Anne même ou Maria. Je sens que je serai bien plus attachée à ma chère famille Morland qu'à ma propre famille.

Catherine renonçait à s'élever à ces hauteurs de l'amitié.

— Vous êtes si semblable à votre cher frère, continuait Isabelle, que j'ai raffolé de vous dès le premier moment. Il en est toujours ainsi pour moi : le premier moment décide de tout. Le jour que Morland vint à la maison, à Noël dernier, de la minute que je le vis, mon cœur était sien, irrévocablement. J'avais, il m'en souvient, ma robe jaune, les cheveux nattés, et quand, à mon entrée au salon, John me le présenta, je pensai que jamais je n'avais vu personne d'aussi beau.

Catherine découvrait la puissance de l'amour. Elle aimait son frère et avec quelle partialité : cependant elle ne s'était jamais avisé qu'il fût beau.

— Il m'en souvient encore. Mlle Andrews prenait le thé avec nous ce soir-là ; elle avait sa robe de florence puce ; elle était divine, tant, que je pensai voir votre frère tomber amoureux d'elle. Oh ! Catherine, combien de nuits d'insomnie n'ai-je pas dues à votre frère ! Je ne voudrais pas que vous souffrissiez la moitié de ce que j'ai souffert ! Je suis devenue affreusement maigre, je le sais. Mais je ne veux pas vous faire de peine à vous décrire mes angoisses. Ce que vous en avez vu suffit. Je sens que je me suis trahie continuellement. Si étourdiment je disais ma prédilection pour l'Église. Mais je savais bien qu'avec vous mon secret était en sûreté.

Catherine convint en elle-même que rien au monde n'avait jamais été plus en sûreté. Mais, honteuse d'une ignorance qui eût semblé par trop anormale, elle n'osa pas mettre en doute ce don de perspicacité et de sympathie qui lui était dévolu par Isabelle.

James se préparait à partir pour Fullerton : il allait demander à ses parents leur consentement à son mariage. C'était là pour Isabelle une source d'agitations réelles. Catherine tâchait de la convaincre, comme elle en était elle-même convaincue, que ni le père ni la mère ne s'opposeraient aux désirs de leur fils :

— Il est impossible, disait-elle, que des parents soient meilleurs, plus désireux du bonheur de leurs enfants. Je ne doute pas de leur « oui » immédiat.

— Morland dit exactement la même chose, répondit Isabelle, et cependant je n'ose pas espérer. Ma dot sera si petite ! Ils ne consentiront jamais ! Votre frère pourrait prétendre à la main de n'importe quelle héritière.

Là encore Catherine discerna la puissance de l'amour.

— Vraiment, Isabelle, vous êtes trop modeste la différence de fortune n'a ici aucune importance.

— Oh ! ma douce Catherine, pour votre cœur généreux, elle n'aurait aucune importance ; mais combien rare un tel désintéressement ! Quant à moi, je ne souhaiterais qu'une chose : que nos situations fussent interverties. Si j'avais des millions, si j'étais maîtresse du monde entier, c'est votre frère encore que je choisirais.

Cet exposé de principes remémora agréablement à Catherine toutes les héroïnes de sa connaissance, et elle pensa que son amie n'avait jamais été plus charmante qu'en formulant une déclaration si magnanime. Et elle ne cessait de dire :

— Je suis sûre qu'ils consentiront. Je suis sûre que vous leur plairez beaucoup.

— Pour ma part, disait Isabelle, mes désirs sont si modestes que la moindre pension me suffira. Quand on s'aime vraiment, la pauvreté est encore de l'opulence. Je hais le faste. Je ne voudrais habiter Londres pour rien au monde. Une chaumière dans une bourgade retirée, ce serait adorable. Il y a de ravissantes petites villas autour de Richmond.

— Richmond ! s'écria Catherine. Il faut que vous habitiez près de Fullerton. Il faut que vous soyez près de nous.

— Si nous sommes loin de vous, j'en serai très malheureuse. Si je pouvais seulement être près de vous, Catherine, je serais contente. Mais des paroles sont oiseuses. Je ne veux pas penser à ces choses tant que la réponse de votre père ne sera pas connue. Morland dit que, si sa lettre part de Salisbury ce soir même, nous aurons la réponse demain. Demain ! Je n'aurai jamais le courage d'ouvrir sa lettre. Ce sera mon arrêt de mort, je le sens.

Suivit un temps de rêverie. Puis Isabelle parla, et ce fut pour disserter sur l'étoffe dont serait faite sa robe nuptiale. Cette conférence prit fin quand le jeune amant, sur le point de partir pour le Wiltshire, vint exhaler son soupir d'adieu.

Catherine aurait bien voulu le féliciter, mais toute son éloquence s'était réfugiée dans ses yeux. James facilement comprit. Impatient d'être chez lui et de voir ses espérances fleurir, il fit de rapides adieux. Ils auraient été plus brefs encore, si sa jolie promise ne l'avait plusieurs fois retenu par sa prolixe insistance à l'engager à partir. Deux fois déjà il avait atteint la porte ; deux fois elle le fit revenir, impatiente qu'il fût en route.

— En vérité, Morland, il faut que je vous chasse. Vous allez loin, pensez-y. Je ne puis supporter de vous voir vous attarder de la sorte. Pour l'amour du ciel, ne musez pas plus longtemps. Voyons, allez, allez, je le veux.

Les deux amies ne se séparèrent pas de toute la journée, et les heures s'écoulèrent en projets de bonheur fraternel.

Mme Thorpe et son fils, qui étaient au courant de tout et semblaient n'attendre que le consentement de M. Morland pour donner carrière à leur joie, furent provoqués par Isabelle à ce jeu des paroles à sous-entendus et des coups d'œil complices qui devait exaspérer la curiosité des jeunes sœurs. Ces façons paraissaient peu généreuses et malséantes à Catherine, qui n'eût pu s'empêcher d'en faire la remarque, si, dans ce milieu, elles n'eussent été coutumières ; d'ailleurs Anne et Maria calmèrent bientôt ses scrupules par la sagacité de leur : « Nous savons, nous savons… » Et ce furent toute la soirée des passes d'esprit, où les adversaires se montrèrent également virtuoses, et des manœuvres en vue de sauvegarder, ici, le mystère d'un prétendu secret et, là, celui d'une découverte que l'on ne définissait pas.

Catherine passa la journée du lendemain avec son amie, pour la soutenir au cours des longues heures qui devaient s'écouler avant la distribution des lettres – aide nécessaire, car, tandis que ces heures diminuaient, le trouble d'Isabelle allait croissant : elle était laborieusement parvenue à une détresse authentique quand enfin la lettre arriva.

« Je n'ai eu aucune difficulté à obtenir le consentement de mes bons parents, et j'ai la promesse que tout ce qui sera en leur pouvoir sera fait pour hâter mon bonheur... »

Telles étaient les trois premières lignes.

Aussitôt, tout fut sécurité joyeuse. Un bel incarnadin teignit instantanément les joues d'Isabelle. Soucis, anxiété semblaient loin ; ses sentiments s'élevèrent si haut qu'ils étaient sur le point d'échapper à tout contrôle ; sans hésitation, elle se déclara la plus heureuse des mortelles.

Mme Thorpe, avec des larmes d'allégresse, accola sa fille, son fils, la visiteuse, et elle aurait accolé de bon cœur la moitié des habitants de Bath. Son âme débordait de tendresse. C'était « cher John », « chère Catherine », à chaque mot. « Chère Anne » et « chère Maria », durent incontinent participer aux réjouissances, et deux

« chère », placés à la fois devant le nom d'Isabelle avaient été bien gagnés par cette fille sans seconde. John lui-même, manifestait son contentement. Il déclara le père Morland un excellent gaillard et vociféra ses louanges.

La lettre qui dispensait tant de félicité était courte. Elle ne contenait guère plus que la nouvelle du succès et ajournait tout détail. Les détails, Isabelle était de force à les attendre : M. Morland avait dit l'essentiel et s'était engagé d'honneur à aplanir les difficultés. Comment seraient constitués les revenus du jeune ménage – par transfert de propriétés territoriales ou de rentes sur l'État, – c'étaient vétilles dont la magnifique Isabelle ne s'occupait pas : elle pouvait compter, et à brève échéance, sur un établissement honorable. Donnant essor à ses rêves, elle se voyait déjà provoquer l'émerveillement de ses nouvelles connaissances de Fullerton et l'envie de ses anciennes amies de Pulteney Street ; elle aurait une voiture à ses ordres, un autre nom sur ses cartes, et à ses doigts des bagues en fulgurant éventaire.

John Thorpe, qui avait retardé son départ pour Londres jusqu'à l'arrivée de la lettre, pouvait maintenant se mettre en route.

— Voilà : je viens vous dire au revoir, dit-il à Mlle Morland, qu'il trouva seule au salon.

Catherine lui souhaita un bon voyage. Sans paraître l'entendre, il alla vers la fenêtre, revint sur ses pas, fredonna un air ; il semblait très préoccupé.

— N'arriverez-vous pas bien tard à Devizes ? dit Catherine.

Il ne répondit pas, puis, après un moment de silence, son verbe fit irruption :

— Une bien bonne chose que ce projet de mariage, sur mon âme ! une heureuse idée que celle de Morland et de Belle ! Qu'en pensez-vous, miss Morland ? À mon sens, l'idée n'est pas mauvaise.

— C'est même une très heureuse idée.

— Oui ! Par le ciel ! voilà qui est franc. Je suis ravi que vous ne soyez pas ennemie du mariage. Connaissez-vous la vieille chanson : « Une noce en amène une autre. » Viendrez-vous à celle d'Isabelle ?

— Oui, j'ai promis à votre sœur d'assister à son mariage, si ce m'est possible.

— Et alors, vous savez – et il se tortillait hilare – je dis, alors, vous savez, nous pourrons contrôler la vieille chanson.

— La vieille chanson ? Mais je ne chante pas… Eh bien ! Je vous souhaite un bon voyage.

Je dîne avec Mlle Tilney aujourd'hui, et je dois rentrer à la maison.

— Eh ! rien ne presse ! Qui sait quand nous nous retrouverons ! Non que je ne doive être de retour vers la fin de la quinzaine, une quinzaine qui me paraîtra diablement longue !

— Alors pourquoi vous absenter si longtemps ? dit Catherine, voyant qu'il attendait une réponse.

— C'est gentil à vous, vraiment, gentil et d'un bon cœur. Je ne suis pas près de l'oublier. Mais vous avez plus de bonté et de tout, que n'importe qui, une part de bonté… colossale. Et ce n'est pas seulement de la bonté, mais vous avez tant, tant de tout ! Vous avez une telle… Sur mon âme ! Je ne connais personne comme vous !

— Oh ! il y a beaucoup de gens comme moi, et, j'en suis sûre, un grand nombre qui valent mieux. Au revoir.

— Mais, miss Morland, j'irai à Fullerton vous présenter mes respects avant peu, si cela ne vous désagrée pas.

— Je vous en prie ; mon père et ma mère seront très contents de vous voir.

— Et j'espère, j'espère, miss Morland, que *vous* ne serez pas ennuyée de me voir.

— Oh ! pas du tout. Il est peu de gens que je sois ennuyée de voir. Il est toujours agréable d'avoir de la compagnie.

— C'est juste ma façon de penser. Que j'aie seulement de gais compagnons, que je sois avec des gens que j'aime, que je sois où il me plaît d'être et avec qui me plaît, au diable le reste, dis-je ! Et je suis extrêmement heureux de vous entendre dire la même chose. Mais j'ai dans l'idée, miss Morland, que vous et moi sommes presque toujours du même avis.

— Peut-être. Je n'ai jamais réfléchi à cela. D'ailleurs, il n'y a pas beaucoup de choses sur lesquelles je connaisse mon propre avis.

— Par Jupiter, c'est comme moi ! Ce n'est pas mon habitude de me casser la tête de choses qui ne me concernent pas. Ma façon de voir est assez simple. Que j'aie la fille que j'aime, dis-je, une maison confortable sur ma tête, et qu'ai-je à m'inquiéter de tout le reste ! La fortune n'est rien. De mon côté, je suis certain d'un bon revenu. Et n'eût-elle pas un liard, eh bien ! tant mieux !

— Sur ce point, je pense comme vous. Si d'une part il y a quelque fortune, de l'autre il n'est pas nécessaire qu'il y en ait. Que ce soit lui ou elle qui soit riche, il n'importe. Je ne comprends pas qu'une grande fortune en cherche une autre ; se marier pour de l'argent me paraît la chose la plus immorale qui soit. Adieu. Nous serons contents de vous voir à Fullerton, quand il vous plaira.

Les de son interlocuteur échouèrent à la retenir plus longtemps. Elle avait hâte d'annoncer les fiançailles de James à Mme Allen et de faire ses préparatifs pour se rendre auprès de Mlle Tilney. Elle partit, et Thorpe resta là, enchanté de sa démarche et de l'encouragement, pour lui ostensible, que lui avait accordé la jeune fille.

L'émoi qu'elle avait eu à apprendre l'engagement de son frère lui faisait augurer que M. et Mme Allen seraient eux aussi fort troublés à l'étonnante nouvelle. Grand fut son désappointement. Cette étonnante nouvelle, dont elle prépara l'énoncé par maintes circonlocutions, avait été prévue par eux dès l'arrivée de James. Ils se bornèrent à exprimer un vœu de bonheur pour les jeunes gens. M. Allen y ajouta une remarque sur la beauté d'Isabelle, et Mme Allen sur sa chance. Une telle impassibilité parut surprenante à Catherine. Pourtant, Mme Allen abjura son calme en apprenant le départ, la veille, de James pour Fullerton. À plusieurs reprises, elle regretta que le secret eût été nécessaire pour ce départ, déplora de n'avoir pas été informée du voyage, de n'avoir pas vu James au dernier moment : elle l'eût certainement chargé de ses meilleurs souvenirs pour M. et Mme Morland et de ses compliments pour les Skinner.

XVI

Catherine s'était promis un tel plaisir de sa visite à Milsom Street qu'une déception était inévitable. Oui, sans doute, le général Tilney l'avait reçue avec beaucoup de courtoisie, et sa fille de façon très gracieuse ; oui, Henry était là ; oui, il n'y avait pas eu d'autre invitée qu'elle : et pourtant elle dut convenir, à son retour et sans avoir à délibérer longtemps, qu'elle était allée à ce rendez-vous prête à un bonheur qu'elle n'y avait pas trouvé. Loin que leur intimité eût fait des progrès, il semblait que les deux jeunes filles fussent moins amies qu'auparavant. Tilney Henry, dans le cadre familial, eût pu mettre en valeur sa personnalité : or il n'avait jamais si peu parlé, jamais été si peu affable. Bref, en dépit des amabilités presque excessives du père, partir lui avait été un soulagement. Que le général eût toutes les qualités, en pouvait-on douter ? il était grand et beau, et le père de Henry. En la circonstance, il n'était donc responsable de rien.

« Au surplus, pensa Catherine, le manque d'entrain de ses enfants pouvait être imputable au hasard, et mon ennui à ma sottise. »

L'interprétation d'Isabelle fut différente :

Orgueil, orgueil, insupportable hauteur, et orgueil voilà ce que décelaient les façons des Tilney. Elle soupçonnait depuis longtemps en eux ce vice ; ses soupçons étaient maintenant confirmés. De sa vie, elle n'avait rien vu d'aussi inconvenant que la conduite de Mlle Tilney. Ne pas daigner faire les honneurs de sa maison ! Traiter une visiteuse avec une telle arrogance ! Lui parler à peine !

— Mais vous exagérez, Isabelle ; elle n'était pas hautaine, elle était très courtoise.

— Oh ! ne la défendez pas ! Et le frère, lui qui semblait avoir pour vous tant d'affection ! Ciel ! que les sentiments de certaines gens sont incompréhensibles ! Ainsi, de tout le jour, à peine vous a-t-il regardée.

— Je n'ai pas dit cela. Il ne semblait pas avoir beaucoup d'entrain.

— Comme c'est petit ! De toutes les choses du monde, c'est l'inconstance qui m'inspire le plus d'aversion. Je vous en supplie, ma chère Catherine, ne pensez plus jamais à lui. Vraiment, il est indigne de vous.

— Indigne ! Je ne suppose pas qu'il ait jamais pensé à moi.

— C'est justement ce que je dis : il ne pense jamais à vous. Quelle inconstance ! Oh ! combien différents de lui, votre frère et le mien ! Je crois vraiment que John a le cœur le plus constant qui soit.

— Quant au général Tilney, je vous assure qu'il est impossible d'être plus courtois et plus attentif. Il semblait que sa seule préoccupation fût de m'être agréable.

— Oh ! de lui je ne dis rien. Je ne pense pas qu'il soit orgueilleux. Je le crois très gentleman. John en a une haute opinion. Et le jugement de John…

— Eh bien ! Je verrai comment ils agiront avec moi ce soir. Nous devons nous retrouver aux Rooms.

— Et moi, irai-je ?

— N'en aviez-vous pas l'intention ? Je croyais que c'était convenu.

— Du moment que vous y attachez une telle importance… Je ne puis rien vous refuser. Mais ne vous attendez pas à me voir gaie : mon cœur, vous le savez, sera à quarante milles d'ici. Quant à danser, ne m'en parlez pas, je vous en prie : ce serait inutile. Charles Hodges me tourmentera à mort, j'en suis sûre, mais je l'arrêterai net. Il y a dix à parier contre un qu'il devinera la raison de mon refus, et c'est justement ce que je voudrais éviter ; le cas échéant, je le prierais de garder ses conjectures pour lui.

L'opinion d'Isabelle sur les Tilney n'eut pas d'écho. Catherine était bien sûre qu'il n'y avait eu nulle insolence dans l'attitude du frère et de la sœur, et sa foi fut justifiée dès ce même soir.

Mlle Tilney se montra très aimable, et Henry invita plusieurs fois Catherine à danser.

Ayant appris la veille, à Milsom Street, que leur frère aîné, le capitaine Tilney, était attendu incessamment, elle n'eut pas de peine à deviner le nom d'un beau jeune homme très élégant qu'elle voyait en leur compagnie. Elle le regarda, admirative, et alla jusqu'à concevoir que certaines gens pussent le trouver plus beau que Henry, quoique, à ses yeux, il eût plus de prétention avec moins de charme.

Décidément, ses manières n'étaient pas du goût le plus pur : elle l'entendit, en effet, qui, non seulement protestait à l'idée de danser, mais encore, sur ce chapitre, raillait ouvertement Henry. Dès lors, et quelque opinion que pût avoir de lui notre héroïne, il n'était pas à craindre que l'opinion qu'il pouvait avoir d'elle suscitât d'animosité entre les frères ou exposât la jeune fille à des persécutions. Ce n'est certainement pas encore lui qui chargera trois sacripants de la jeter de vive force dans une chaise de poste attelée de quatre chevaux furieux. Catherine, d'ailleurs, n'était troublée par nul pressentiment d'une mésaventure de cette sorte, et n'avait ennui quelconque, sauf cette crainte que la danse se terminât trop tôt de par le trop petit nombre des danseurs qui s'y rangeaient. Elle était toute à ce bonheur déjà familier de se sentir auprès de Henry : elle l'écoutait les yeux en joie, et, le trouvant irrésistible, elle devenait irrésistible elle-même.

Après la première figure, Henry fut rejoint par son frère. Ils s'éloignèrent en parlant à voix basse. Quoiqu'elle ne considérât pas comme indubitable que le capitaine Tilney eût entendu quelque calomnieux propos et qu'il fût en train de le communiquer à son frère dans l'espoir de les séparer à jamais, elle ne put voir disparaître Henry sans éprouver une sensation très désagréable. Au bout de cinq minutes, et Catherine croyait que déjà s'était écoulé un quart d'heure, ils reparurent. Henry demanda à Catherine – et elle recouvra aussitôt sa quiétude :

— Votre amie, Mlle Thorpe, consentirait-elle à danser ? Mon frère serait très heureux de lui être présenté.

Sans hésitation, Catherine répondit que Mlle Thorpe désirait ne pas danser ; et, transmise la cruelle réponse, le capitaine s'en alla.

— Rien là qui puisse contrarier votre frère, je pense, dit-elle : je l'ai entendu qui disait avoir horreur de la danse. Mais il n'en est que plus aimable : il aura vu Isabelle assise et il aura supposé qu'elle désirait une invitation. Il se trompait. Isabelle ne danserait pour rien au monde.

Henry sourit.

— Avec quelle aisance vous discernez le mobile des actions d'autrui !...

— Comment ?...

— Pour vous, la question ne se pose pas ainsi : « Quel est, le plus vraisemblablement, le mobile qui a fait agir telle personne en telle circonstance, étant donnés son âge, sa situation, ses habitudes de vie ? » Non. Vous vous demandez simplement : « Quel motif m'aurait fait agir, moi, de telle façon ? »

— Je ne vous comprends pas.

— Alors nous sommes dans des conditions très inégales, car je vous comprends parfaitement.

— En effet : je ne parle pas assez bien pour être incompréhensible.

— Bravo ! excellente satire du tour habituel des conversations.

— Je vous en prie, expliquez-vous.

— M'expliquer ? Vous le voulez ? Mais c'est bien imprudent à vous. Cela vous mettra dans un embarras cruel et, à coup sûr, nous divisera.

— Mais non, mais non, et je n'ai pas peur.

— Soit. Je voulais simplement dire qu'en attribuant à de la bonté ce désir de mon frère vous m'avez convaincu que vous êtes meilleure que personne au monde.

Catherine rougit, protesta, et ainsi se vérifièrent les prédictions du jeune homme. Il y avait cependant en ces paroles quelque chose qui la ravissait confusément, et elle oubliait de parler, d'écouter, elle oubliait presque où elle était, quand enfin, réveillée par la voix d'Isabelle, elle leva les yeux et vit son amie et le capitaine Tilney qui les provoquaient, elle et Henry, à un chassé-croisé.

Isabelle, évasive, haussa les épaules, sourit : seule explication opportune d'un revirement si extraordinaire, mais encore insuffisante pour Catherine, qui dit tout franc sa surprise à Henry :

— Comment est-ce possible ? Isabelle était si décidée à ne pas danser…

— Et Isabelle ne change jamais d'avis ?

— Oh ! mais… c'est que… et votre frère ? Après ce que vous lui avez dit de ma part, comment a-t-il pu songer à la demander ?

— Mon frère ? Je dois avouer que sa démarche n'est pas pour me surprendre. Vous me conviez à être surpris, en ce qui concerne votre amie : je le suis donc. Mais la conduite de mon frère n'a rien qui me déroute. La beauté de votre amie était pour lui un argument suffisant. Elle avait résolu de ne pas danser, soit ; mais vous seule pouviez avoir en une telle résolution une foi si vive.

— Vous riez ; mais je vous assure qu'Isabelle a d'ordinaire beaucoup de fermeté.

— Tant de fermeté ?… Au surplus, ne jamais changer d'avis, nous appellerons cela de l'entêtement ; changer d'avis à bon escient, c'est le fait de quelqu'un dont le jugement reste en éveil. Sans allusion à mon frère, je pense que Mlle Thorpe n'a pas pris un mauvais parti en disposant de l'heure présente.

Les amies ne purent se réunir pour leurs confidences avant la fin du bal. Mais alors, comme elles traversaient la salle bras dessus, bras dessous, Isabelle s'expliqua ;

— Je ne m'étonne pas de votre surprise, et je suis fatiguée à mort. Quel bavard ! Fort amusant, si ma pensée eût été libre ; mais j'aurais donné tout au monde pour rester assise tranquillement.

— Alors… pourquoi n'êtes-vous pas restée assise ?

— Oh ! ma chère, cela eût semblé si singulier ; et vous savez combien j'abhorre me singulariser. J'ai repoussé ses instances, longtemps ; mais il ne voulait pas admettre de refus. Combien il insistait vous ne pouvez pas vous en faire une idée. Je le priais de m'excuser, de chercher une autre danseuse. Il ne cédait pas. Après avoir aspiré à ma main, il n'était personne dans la salle à qui il pût supporter de penser. Non pas qu'il désirât absolument danser… : il désirait être *avec moi*. Que c'est donc absurde ! Je lui dis qu'il avait pris un mauvais moyen pour me persuader, que je haïssais les beaux discours et les compliments, je lui dis… que ne lui ai-je pas dit ! quand enfin je vis que je n'aurais pas la paix si je ne me levais. D'autre part, Mme Hughes, qui me l'avait présenté, pouvait se formaliser d'un refus persistant, et votre cher frère, j'en suis sûre, aurait eu du chagrin si, de toute la soirée, je n'avais dansé. Je suis si contente que ce soit fini ! J'ai la tête fatiguée d'avoir écouté des sottises. Et puis, élégant comme il est, tous les yeux étaient braqués sur nous.

— Il est très beau, en effet.

— Beau ? Oui, je pense qu'on peut le dire beau. Mais ce n'est pas là du tout mon type de beauté. Je hais, chez un homme, un teint fleuri et des yeux noirs. N'importe, il est très bien. Étonnamment infatué de soi, sans doute. Je lui ai rabattu le caquet, plusieurs fois, vous savez, à ma manière.

Le lendemain, quand les jeunes filles se retrouvèrent ensemble, la seconde lettre de James était là, exposant les intentions du père. Un bénéfice, dont M. Morland était titulaire et qui lui rapportait environ quatre cents livres par an, serait cédé à James dès que James serait en âge d'en être pourvu : et ce n'était pas un prélèvement insignifiant sur le revenu de la famille. Un bien d'une valeur au moins égale lui était assuré comme sa part future d'héritage.

James exprimait sa satisfaction de ces arrangements. Quant à la fâcheuse nécessité de surseoir pendant deux ou trois ans au mariage, il la subissait sans récriminer : il s'y était toujours attendu. Catherine, dont les notions sur la fortune de son père étaient trop vagues pour qu'elle pût avoir, dans le cas présent, un avis personnel, se conformait aux sentiments de James ; elle était heureuse, puisqu'il était heureux, et elle félicita Isabelle du tour que prenait l'événement.

— C'est à souhait, en vérité, disait Isabelle, grave.

— M. Morland a très libéralement agi, dit l'aimable Mme Thorpe, regardant sa fille avec anxiété. Je souhaiterais pouvoir faire de même. Nous ne pouvions pas attendre mieux de lui, vous savez. Si, dans l'avenir, il voit qu'il peut faire plus, j'ose dire qu'il le fera, car je suis sûre que ce doit être un excellent homme et un bon cœur. Quatre cents livres, ce n'est qu'un petit revenu pour entrer en ménage. Mais vos goûts, ma chère Isabelle, sont si modestes ; vous êtes si peu exigeante, ma chère.

— Ce n'est pas pour moi que je désire davantage, mais je ne puis supporter l'idée d'être à charge à mon cher Morland s'il s'établit avec un revenu à peine suffisant pour une seule personne. Je ne parle pas de moi : je ne pense jamais à moi.

— Je le sais, ma chère, mais votre désintéressement n'est pas sans compensation : tous ceux qui vous connaissent bien vous adorent. Et j'ose dire que, quand M. Morland vous verra, ma chère enfant… Mais ne fatiguons pas Catherine de ces choses. M. Morland s'est comporté avec beaucoup de générosité, vous savez. Je l'ai toujours entendu vanter comme un excellent homme, et, vous savez, ma chère, nous n'avons pas à faire de suppositions, mais quoi… si vous aviez eu une fortune suffisante, il aurait donné davantage : je suis bien certaine que c'est un homme vraiment libéral.

— Personne ne peut avoir de M. Morland meilleure opinion que moi. Mais chacun a ses faiblesses, et chacun a le droit de disposer à sa guise de son argent.

Catherine était choquée de ces insinuations.

— Je suis très sûre, dit-elle, que si mon père n'a pas promis davantage, c'est que ses moyens ne lui permettent rien de plus.

Isabelle se ressaisit :

— Pour cela, ma douce Catherine, il ne peut y avoir aucun doute, et vous me connaissez assez pour savoir qu'un revenu bien moindre me satisferait encore. Ce n'est pas le souci d'avoir plus d'argent qui me fait en ce moment sortir un peu de mon caractère. Je hais l'argent. Si notre mariage pouvait avoir lieu maintenant, n'eussions-nous qu'un revenu de cinquante livres, tous mes vœux seraient satisfaits. Ah ! ma Catherine, vous m'avez devinée. Là est la blessure. Les longues, longues deux années et demie sans fin, qui doivent s'écouler avant que votre frère soit pourvu du bénéfice !

— Oui, ma chère Isabelle, dit Mme Thorpe, nous lisons parfaitement dans votre cœur. Il n'a pas de détours. Nous comprenons parfaitement votre chagrin, et chacun vous aimera plus encore pour votre tendresse si noble et si sincère.

Catherine commençait à se sentir moins mal à l'aise. Elle voulait croire que le retard du mariage fût la cause unique des regrets d'Isabelle. Et, quand, à la rencontre suivante, elle la vit aussi gaie et aussi aimable que de coutume, elle chercha à oublier ses soupçons d'une minute. James arriva peu de temps après sa lettre. Il fut reçu avec la plus flatteuse amabilité.

XVII

Commençait la sixième semaine du séjour des Allen à Bath. La dernière ? Catherine sentait battre son cœur. Ses relations avec les Tilney allaient-elles donc s'interrompre déjà ? Tant que la question ne serait pas résolue, il semblait que tout son bonheur fût en péril. Mais voilà qu'elle retrouvait la tranquillité : on se décidait à garder l'appartement une quinzaine de plus. Qu'elle pût éprouver, au cours de cette nouvelle quinzaine, d'autres émotions que le plaisir de voir Henry Tilney, cela préoccupait peu Catherine. Une ou deux fois, il est vrai, depuis que l'aventure de James et d'Isabelle lui avait dévoilé des possibilités, elle s'était permis un intime « peut-être ». Mais, en somme, la félicité d'être avec lui bornait, pour le présent, ses vues. Le présent était compris maintenant dans une nouvelle période de trois semaines, et, son bonheur étant assuré pour ce laps, le reste de sa vie se perdait dans des lointains sans intérêt. Dans la matinée, elle rendit visite à Mlle Tilney. Mais il était dit que ce jour serait un jour d'épreuves. À peine eût-elle exprimé la joie de ne pas déjà quitter Bath, Mlle Tilney lui annonça que son père venait de fixer leur départ à la fin de la semaine suivante. Coup cruel ! Combien était douce l'incertitude passée au prix de cette certitude ! Catherine se sentit défaillir et, d'une voix qui décelait ses angoisses, elle redit les dernières paroles de Mlle Tilney :

— … À la fin de la semaine prochaine…

— Oui, on ne décide pas facilement mon père à aller aux eaux. Il a été déçu de ne pas rencontrer ici les amis qui devaient y venir. Et, comme il va mieux, il est pressé de rentrer à la maison.

— J'en suis très triste, dit Catherine consternée. Si j'avais su cela…

— Peut-être, dit Mlle Tilney avec hésitation, voudrez-vous bien… Je serais si heureuse que…

L'entrée du père coupa court à ces amabilités, avant-courrières, commençait à espérer Catherine, de la proposition d'échanger des lettres. Ayant salué Catherine avec sa courtoisie habituelle, il se tourna vers sa fille :

— Eh bien ! Éléonore, puis-je vous féliciter du succès de votre démarche auprès de votre gracieuse amie ?

— J'allais justement lui présenter ma requête quand vous êtes entré.

— Bien, faites tout votre possible. Je sais combien vous avez à cœur de réussir. Ma fille, miss Morland (et il continuait sans laisser à sa fille le temps d'intercaler un mot), a formé un souhait très téméraire. Nous quittons Bath, comme elle vous l'a peut-être annoncé, de samedi en huit. Une lettre de mon intendant m'a appris que ma présence à la maison est indispensable ; et, déçu dans mon espoir de voir ici le marquis de Longtown et le général Courteney, deux de mes plus anciens amis, rien ne me retient à Bath. Si nous pouvions mener à bien certain projet qui nous intéresse et qui vous concerne, nous quitterions la ville sans un seul regret. Pourriez-vous vous décider à quitter bientôt cette scène de triomphes, et nous faire la gracieuseté d'accompagner votre amie Éléonore dans le Gloucestershire ? J'ose à peine vous soumettre cette requête ; vous pourriez la trouver présomptueuse ; et, si elle était connue dans Bath, tout le monde la jugerait plus présomptueuse encore : vous êtes si modeste… Mais, cette modestie, je m'en voudrais de la faire souffrir par une louange trop directe. Si vous consentiez à nous honorer de votre visite, vous nous rendriez heureux au-delà de toute expression. Il est bien vrai que nous ne pouvons rien vous offrir qui soit comparable aux plaisirs de cette ville en fête : nous ne pouvons vous attirer ni par les distractions ni par le faste ; notre manière de vivre, comme vous le savez, est simple et sans prétention. Cependant nous ferons tous nos efforts pour que vous ne vous ennuyiez pas trop à Northanger Abbey.

Northanger Abbey ! quels mots impressionnants ! Ils mirent Catherine en extase. Une invitation si séduisante et faite avec tant d'insistance ! Tout ce qui pouvait l'honorer et la flatter, toutes les joies présentes et les espoirs futurs s'y impliquaient. Elle accepta avec empressement, sous la seule réserve de l'approbation de papa et de maman.

— Je vais écrire à la maison tout de suite, dit-elle. Et s'ils ne font pas d'objection… Oh ! Je suis sûre qu'ils n'en feront pas !…

Le général Tilney n'avait pas moins bon espoir. Déjà il avait parlé à ses excellents amis de Pulteney Street et avait obtenu leur agrément.

— Puisqu'ils peuvent consentir à se séparer de vous, de qui ne pouvons-nous attendre de la philosophie ?

Au cours de cette matinée, Catherine avait passé par les alternatives de l'incertitude, de la sécurité, du désappointement et de la félicité définitive. Henry dans son cœur, Northanger

Abbey sur ses lèvres elle se hâtait, enthousiaste, vers la maison pour écrire sa lettre.

M. et Mme Morland envoyèrent poste pour poste leur consentement : ils s'en remettaient au jugement des amis à qui ils avaient confié leur fille. Ce libéralisme, quoiqu'il fût d'accord avec les prévisions de Catherine, confirma en elle la conviction qu'elle était la chérie du destin. Tout semblait se conjurer en sa faveur. La bonté de ses premiers amis, les Allen, l'avait portée sur une scène féconde en plaisirs nouveaux ; tous ses sentiments, toutes ses préférences avaient été payés de réciprocité ; en Isabelle elle avait trouvé une sœur ; les Tilney devançaient ses désirs : pendant des semaines elle allait vivre sous le même toit que les personnes dont la société lui était le plus chère, et ce toit était le toit d'une abbaye ! Sa passion pour les édifices antiques égalait en intensité sa passion pour Henry Tilney. Châteaux et abbayes emplissaient les rêves que l'image du jeune homme n'emplissait pas. Explorer des donjons ou des cloîtres était son vœu depuis des semaines. Jamais elle n'avait espéré être que le visiteur qui passe. Espérer plus était trop chimérique. Et cependant cette chimère se réalisait. Northanger eût pu être une maison, un hôtel, une villa, quelque vague habitacle, et, malgré tant de chances adverses, Northanger était une abbaye et, cette abbaye, elle l'habiterait.

Ses longs corridors humides, ses cellules strictes, sa chapelle ruineuse retentiraient de ses pas quotidiens. Elle ne put maîtriser l'espoir de quelque légende ; peut-être même retrouverait-elle le sanglant mémorial d'une nonne outragée. C'était chose surprenante que ses amis semblassent si peu vains de la possession d'une telle demeure. L'accoutumance pouvait seule expliquer ce désintérêt.

Les questions furent nombreuses qu'elle posa à Mlle Tilney ; mais les idées se succédaient trop vite dans son esprit tumultueux ; les réponses faites, elle ne savait pas encore bien nettement que Northanger Abbey avait été un riche couvent au temps de la Réformation, qu'il était devenu la propriété d'un ancêtre des Tilney à la dissolution des ordres religieux, qu'une grande partie en avait été incorporée à la demeure actuelle, tandis que le reste tombait en ruines, qu'il était situé dans une vallée et que, au nord et à l'est, le protégeaient de hautes forêts de chênes.

XVIII

Dans sa joie, Catherine ne s'apercevait pas que, depuis deux ou trois jours, elle ne voyait guère Isabelle. Elle se rendit soudain compte de cette infraction à leurs habitudes et éprouva le désir de causer avec son amie, comme elle se promenait à la Pump-Room, côte à côte avec Mme Allen, sans avoir rien à dire, rien à entendre. Ce désir n'était pas en éveil depuis cinq minutes quand Isabelle parut et, l'invitant à un entretien confidentiel, l'entraîna vers un banc placé entre deux portes et d'où l'on voyait entrer tout le monde.

— Voici ma place favorite, dit-elle en s'asseyant. Nous sommes ici tout à fait à l'écart.

Catherine remarqua que les regards d'Isabelle allaient sans trêve de l'une à l'autre porte, comme anxieux. Maintes fois accusée de finesse, et si arbitrairement, elle jugea l'occasion bonne de faire ses preuves, et, sur un mode enjoué :

— Ne soyez pas inquiète, Isabelle, James sera bientôt ici.

— Peuh ! ma chère âme, ne me croyez pas si niaise ; je ne désire pas l'avoir toujours à mes trousses. Ce serait affreux d'être toujours ensemble. Nous serions la fable de Bath. Ainsi vous allez à Northanger ! J'en suis étonnamment contente. D'après ce que j'ai entendu dire, c'est une des plus belles habitations anciennes de l'Angleterre. Je compte bien que vous m'en ferez une description minutieuse.

— C'est vous qui aurez ma meilleure description. Mais qui cherchez-vous des yeux ? Vos sœurs viennent-elles ?

— Je ne cherche personne. Il faut bien que nos yeux se portent sur quelque chose. Et vous savez ma sotte habitude de les fixer sur un point, quand ma pensée en est à cent lieues. Je suis étonnamment distraite. Je crois bien être la créature du monde la plus distraite. Tilney dit que c'est un trait fréquent chez les intelligences d'une certaine trempe.

— Mais… Je croyais, Isabelle, que vous aviez quelque chose à me confier.

— Ah ! oui, c'est vrai. Voilà bien un exemple de ce que je disais… Ma pauvre tête !… J'avais complètement oublié. Eh bien ! voici. Je viens de recevoir une lettre de John. Vous en devinez le contenu.

— Non, vraiment.

— Ma douce amie, ne vous donnez donc pas ces airs de ne pas comprendre. De qui parlerait-il ? Vous savez, il est absolument coiffé de vous.

— De moi ! ma chère Isabelle.

— Non, ma chère Catherine, votre affectation est absurde. Modestie et tout cela, c'est très bien quand c'est en situation. Mais il est des moments où de la sincérité ne serait pas mal non plus. Vraiment, vous allez à la pêche aux compliments. Les attentions de John étaient si visibles qu'un enfant les eût remarquées. Une demi-heure encore avant son départ de Bath, vous lui avez donné l'encouragement le plus positif. Il le dit dans sa lettre : il dit qu'il vous a fait une demande en mariage, presque, et que vous avez accueilli ses avances de la façon la plus charmante. Il me prie d'appuyer sa candidature et ajoute toutes sortes d'amabilités à votre adresse. Inutile, dans ces conditions, d'affecter l'ignorance.

Catherine, avec tout le feu de la vérité, exprima son étonnement de voir Isabelle investie d'une telle mission. Elle ne se doutait nullement que M. Torpe fût épris d'elle, et, par conséquent, n'avait jamais eu souci de l'encourager.

— Je déclare sur mon honneur n'avoir rien remarqué de ses attentions, sauf l'invitation qu'il me fit de danser avec lui, le jour de son arrivée. Quant à une demande en mariage ou quoi que ce soit de ce genre, il doit y avoir là une inconcevable erreur. Je n'aurais pas pu comprendre de travers une chose pareille, vous savez. Comme je désire qu'on me croie, j'insiste : je déclare solennellement que nous n'avons pas échangé une syllabe à ce sujet. Une demi-heure avant son départ de Bath ! C'est absolument une erreur, car je ne l'ai pas vu une seule fois ce jour-là.

— Mais si, vous l'avez vu : vous avez passé toute la matinée à Edgar's Buildings. C'est le jour où arriva le consentement de votre père, et je suis à peu près sûre que vous et John avez été seuls au salon.

— Êtes-vous sûre ? Bien. Si vous le dites, ce doit être. Mais, sur ma vie, je ne m'en souviens pas. Je me rappelle maintenant m'être trouvée chez vous et l'avoir vu, mais comme j'ai vu les autres personnes de la famille. Quant à avoir été seule avec lui cinq minutes… N'importe, ce n'est pas la peine de discuter ce détail ; quoi qu'il ait pu dire alors, croyez-le bien, je n'en ai gardé nul souvenir ; je ne me serais certes pas imaginé qu'il pût me parler des choses que vous dites, ni ne l'ai souhaité. Sans doute, je suis très flattée qu'il ait porté sur moi ses vues ; mais, vraiment, de mon côté, rien n'a été intentionnel ; je n'ai jamais eu la moindre idée de l'encourager. Je vous en prie, détrompez-le le plus tôt possible. Dites-lui que je lui demande pardon, que... – je ne sais pas ce qu'il faudrait lui dire. Enfin, employez le meilleur moyen de lui faire comprendre ce que je pense. Je ne voudrais pas parler discourtoisement d'un de vos frères, Isabelle, mais vous savez bien que si je pouvais penser à quelqu'un plus particulièrement, ce ne serait pas à lui.

Isabelle se taisait.

— Ma chère amie, ne m'en veuillez pas. Je ne puis croire que j'aie tant d'importance pour votre frère, et, vous le savez bien, nous serons quand même sœurs.

— Oui, oui (et Isabelle rougissait), il y a plus d'un moyen pour nous d'être sœurs... Mais à quoi rêvai-je ?... Donc, ma chère Catherine, le cas est bien tel : vous vous êtes prononcée contre le pauvre John, n'est-ce pas cela ?

— Oui. Je n'ai pas pour lui l'affection qu'il dit avoir pour moi, et, certes, je n'ai jamais pensé à encourager M. Thorpe.

— Puisqu'il en est ainsi, je ne vous importunerai pas plus longtemps à ce sujet. John le désirait : je vous ai parlé. Mais, je l'avoue, dès sa lettre lue, je pensai que c'était là une affaire imprudente et folle, nullement de nature à vous rendre heureux l'un ou l'autre. Qu'auriez-vous pour vivre, à supposer que vous vous mariiez ? Vous avez chacun quelque chose, c'est vrai ; mais, de nos jours, ce n'est pas une bagatelle qui peut nourrir une famille. Malgré tous les beaux dires des romanciers, on ne fait rien sans argent. Je m'étonne même que John ait pu y penser : il n'aura pas reçu ma dernière lettre.

— Vous ne m'attribuez donc aucun tort... Vous êtes convaincue que je n'ai jamais eu l'intention de leurrer votre frère, que jamais, jusqu'aujourd'hui, je n'avais soupçonné qu'il m'aimât...

— Oh ! quant à cela, répondit en riant Isabelle, je ne prétends pas déterminer ce qu'ont pu être vos pensées et vos desseins. Vous savez mieux que moi à quoi vous en tenir. On se laisse aller à un peu d'innocente coquetterie, et il se trouve qu'on a donné à quelqu'un plus d'encouragement qu'on n'eût voulu. Croyez-le bien, je suis la dernière personne de la terre qui vous jugerait sévèrement. Dans toutes ces choses, il faut faire la part de la jeunesse et de l'exaltation. Ce que nous pensons un jour, vous savez, nous pouvons ne plus le penser le lendemain. Les circonstances changent, les opinions varient...

— Mais l'opinion que j'ai de votre frère n'a jamais varié. Vous décrivez là un état d'esprit qui n'a jamais été le mien.

— Ma chère Catherine, continuait Isabelle, sans du tout l'écouter, pour rien au monde, je ne voudrais vous pousser dans une voie avant que vous voyiez bien clair en vous-même. Je ne me crois nullement le droit de sacrifier votre bonheur à personne, fût-ce à mon frère. D'ailleurs, qui sait si, après tout, il ne sera pas aussi heureux sans vous ? – la jeunesse d'aujourd'hui, les hommes surtout, est étonnamment versatile. Ce que je veux dire, c'est ceci : pourquoi le bonheur d'un frère me serait-il plus précieux que celui d'une amie ? Vous savez à quel point j'ai la superstition de l'amitié. Surtout, ma chère Catherine, soyez circonspecte. Croyez-m'en sur parole ; si vous vous hâtez trop, vous vous en repentirez certainement. Tilney dit qu'il n'est rien sur quoi l'on se trompe aussi souvent que sur ses propres sentiments : je crois qu'il a bien raison... Ah ! le voilà ! N'importe, il ne nous verra pas, j'en suis sûre.

Catherine, levant les yeux, aperçut le capitaine Tilney. Il causait avec quelqu'un. Isabelle, à fixer sur lui un regard insistant, força bientôt son attention. Il s'approcha immédiatement et s'assit, comme l'y incitait l'attitude d'Isabelle. À ses premiers mots, Catherine tressaillit. Quoiqu'il parlât bas, elle avait distingué ceci :

— Eh quoi ! on vous surveille donc toujours, en personne ou par procuration ?

— Baste ! Sottise ! fut, à mi-voix, la réponse d'Isabelle. Pourquoi me mettez-vous en tête ces idées-là ? Si je pouvais croire… Mon esprit est assez indépendant.

— Je souhaiterais que votre cœur fût indépendant. Cela me suffirait.

— Mon cœur, en vérité ? À quel propos parler de cœur ? Avez-vous du cœur, vous autres, les hommes ?

— Si nous n'avons pas de cœur, nous avons des yeux. Ils nous donnent assez de tourment.

— Ils vous en donnent ? J'en suis marrie. Il m'est bien triste de leur être un spectacle si fâcheux. Je veux croire que ceci vous plaira. (Et elle lui tournait le dos.) je veux croire que vos yeux ne sont plus au supplice.

— Au supplice ? Ils ne l'ont jamais été autant ! Car je vois la lisière d'une joue en fleur. C'est trop voir et trop peu.

Catherine, décontenancée, n'en voulut écouter davantage. Surprise qu'Isabelle fût si longanime, jalouse pour son frère, elle se leva, disant qu'elle allait rejoindre Mme Allen.

— Si vous voulez m'accompagner, Isabelle…

Isabelle n'en manifesta nul désir. Elle était extrêmement lasse, et c'était si odieux de s'exhiber dans la Pump-Room. Puis, si elle quittait sa place, comment ses sœurs la rejoindraient-elles ? Elle attendait ses sœurs d'un moment à l'autre. Sa chère Catherine devait l'excuser et se rasseoir tranquillement. Mais Catherine aussi savait, à l'occasion, être entêtée. Juste à ce moment Mme Allen venait lui proposer de rentrer. Elle la suivit donc et sortit de la Pump-Room, laissant Isabelle en tête à tête avec le capitaine Tilney. Elle les quittait, très ennuyée qu'ils restassent ensemble. Il lui semblait que le capitaine Tilney s'éprenait d'Isabelle, et qu'Isabelle, inconsciemment, l'encourageait. Oh ! ce devait être inconsciemment : l'affection d'Isabelle pour James n'était-elle pas aussi sûre, aussi avouée que leur engagement même ? Douter de sa fidélité ou de la pureté de ses intentions était impossible. Et cependant les façons de Mlle Thorpe avaient été étranges. Catherine eût souhaité qu'Isabelle laissât mieux percer dans ses paroles l'Isabelle coutumière et parlât moins d'argent ; qu'elle ne montrât pas, un instant après, tant de plaisir à voir le capitaine Tilney. Comme il était étrange qu'Isabelle ne s'aperçût pas de l'admiration de cet homme ! Il tardait à Catherine de la mettre sur ses gardes, pour qu'elle ménageât les susceptibilités de James et épargnât au capitaine une déception.

Que le frère eût bien voulu la distinguer, cela ne palliait pas, aux yeux de Catherine, la légèreté de la sœur. Elle était d'ailleurs aussi loin de croire sincère l'affection de John que de la souhaiter. Elle n'avait pas oublié qu'il pouvait se tromper. Quelquefois même ses erreurs étaient énormes : n'avait-il pas affirmé lui avoir fait une demande et avoir obtenu d'elle un encouragement ? Qu'il eût jugé à propos de se croire amoureux d'elle, elle n'en tirait certes pas vanité : elle en éprouvait le plus vif étonnement. Isabelle avait parlé des attentions de John : Catherine n'en avait jamais remarqué aucune. Isabelle, il est vrai, avait dit tant de choses ! et sans beaucoup y penser, sans doute. Catherine s'arrêtait à cette pensée, à la fois tranquillisante et consolatrice.

XIX

Des jours passèrent pendant lesquels Catherine, sans aller jusqu'à soupçonner son amie, ne put s'empêcher de la soumettre à une observation attentive. Le résultat de cet examen fut assez fâcheux. Isabelle apparaissait très versatile. À la vérité, tant qu'elle était à Edgar's Buildings ou à Pulteney Street, il ne semblait pas que ses manières se fussent beaucoup modifiées. Si l'on remarquait en elle un rien de cette distraction dont Catherine n'avait d'ailleurs jamais entendu parler avant qu'Isabelle s'en targuât, il était loisible de ne voir là qu'un charme nouveau. Mais qu'en public elle accueillît par des attentions les attentions du capitaine Tilney et qu'elle lui distribuât des sourires presque aussi libéralement qu'à James, le changement valait qu'on s'y arrêtât. Où voulait-elle en venir ? Cela dépassait la compréhension de Catherine. Sans doute, Isabelle pouvait ne pas se rendre compte du mal qu'elle faisait ; alors, il y avait là, de sa part, une insouciance si persistante que Catherine ne pouvait pas se borner à la constater : James en était la victime.

Elle le voyait grave et soucieux. Si peu attentive au bonheur immédiat de James que fût la femme qui lui avait donné son cœur, à *elle* ce bonheur importait toujours. Elle était affligée aussi pour le pauvre capitaine Tilney. Quoique son air ne plût pas à Catherine, le nom qu'il portait, lui, était un passeport auprès d'elle. Elle pensait avec apitoiement à la déception qu'il se préparait : à voir ses façons, elle ne pouvait, en effet, admettre qu'il fût instruit de l'engagement d'Isabelle, malgré ce qu'elle avait cru entendre à la Pump-Room. Il pouvait être amoureux d'Isabelle et jaloux de James, qu'il croyait amoureux au même titre que lui. Si elle avait vu autre chose dans les paroles du capitaine Tilney, sans doute elle s'était méprise. Elle désirait, par quelque douce remontrance, rappeler son amie au sens de la situation et la mettre en garde contre une double cruauté. Mais quand, par fortune, les circonstances lui permettaient de hasarder un avertissement, cet avertissement se heurtait à l'incompréhension d'Isabelle. Dans sa détresse, l'idée que la famille Tilney partirait dans quelques jours pour le Gloucestershire devenait la principale consolation de Catherine. La disparition du capitaine Tilney apaiserait tous les cœurs, sauf celui du capitaine. Mais le capitaine Tilney n'avait pas, pour le moment, le dessein de partir. Il resterait encore à Bath. Quand Catherine le sut, sa résolution fut vite prise. S'adressant à Henry Tilney :

— Je regrette bien que votre frère ait pour Mlle Thorpe une si vive affection ; vous devriez, ne croyez-vous pas ? lui dire qu'Isabelle est déjà promise.

— Mon frère ne l'ignore pas.

— Il ne l'ignore pas ! Alors pourquoi reste-t-il ici ?

Henry ne répondit pas et tenta de changer le thème de la conversation ; mais elle insista :

— Pourquoi ne lui dites-vous pas de partir ? Plus il restera, plus il aura de peine. Je vous en prie, conseillez-lui, dans son intérêt et dans celui de tous, de quitter Bath bien vite. L'absence et le temps lui rendront la paix. Ici, qu'a-t-il à espérer ? S'il reste, il ne sera que plus malheureux.

Henry répondit en souriant :

— Ce n'est évidemment pas ce que se propose mon frère.

— Alors, il faut lui persuader de s'en aller.

— On ne persuade pas sur commande. Pardonnez-moi, je ne puis rien tenter dans ce sens.

C'est moi qui lui ait dit l'engagement de Mlle Thorpe. Il sait ce qu'il fait ; il est le maître de ses actions.

— Non, il ne le sait pas ! s'écria Catherine. Il ne sait pas le chagrin qu'il fait à mon frère. Non que James m'en ait parlé, mais je suis sûre qu'il est bien triste de tout cela.

— Êtes-vous sûre que la faute en soit à mon frère ?

— Oui, très sûre.

— Est-ce les attentions de mon frère ou la façon dont Mlle Thorpe les accueille qui causent ce chagrin ? N'est-ce pas la même chose ?

— Je pense que M. Morland distinguerait. Un homme ne s'offense pas des attentions d'un autre homme pour la femme qu'il aime. C'est la femme qui peut faire de ces attentions une cause de tourment.

Catherine rougit pour son amie.

— Isabelle a tort. Mais elle ne peut, j'en suis sûre, vouloir peiner mon frère : elle l'aime beaucoup ; elle l'a aimé dès le premier jour. Pendant qu'on attendait le consentement de mon père, elle se mourait d'impatience. Elle aime James, je vous assure.

— Je comprends : elle aime James et fleurette avec Frédéric.

— Oh ! non, elle ne fleurette pas. Une femme qui aime ne fleurette pas.

— Il est probable qu'elle n'aime ni ne fleurette aussi consciencieusement que si elle se contentait soit d'aimer, soit de fleureter : chacun des concurrents doit y perdre.

Un court silence, et Catherine reprit :

— Alors vous ne croyez pas qu'Isabelle aime tant mon frère ?

— Je ne saurais avoir d'opinion sur ce point.

— Mais... que peut vouloir votre frère ? S'il connaît leur engagement, à quoi tend sa conduite ?

— Vous questionnez d'une façon très serrée.

— Est-il vrai ?... Je demande tout simplement ce que je désire qu'on me dise.

— Mais demandez-vous tout simplement ce que je peux vous dire ?

— Oui, je pense. Car vous devez connaître le cœur de votre frère.

— Le cœur de mon frère... – puisque, aussi bien, vous employez ce mot – je ne puis faire, en ce qui le concerne, que des conjectures.

— Eh bien ?

— Eh bien ! non ! S'il s'agit de conjecturer, que chacun conjecture à sa guise. Se guider sur les conjectures d'un autre est trop décevant. Les prémisses sont devant vous. Mon frère est un jeune homme très vivant, peut-être un peu léger parfois. Il connaît votre amie depuis environ une semaine et il a appris son engagement presque aussitôt.

— Enfin, dit Catherine après avoir réfléchi, vous pouvez être capable de discerner les intentions de votre frère, mais non pas moi. Tout cela n'ennuie-t-il pas votre père ? Ne désire-t-il pas que le capitaine Tilney parte ? Si votre père lui parlait…

— Ma chère miss Morland, dit Henry, dans votre sollicitude pour le bonheur de votre frère, ne croyez-vous pas que vous errez ? N'allez-vous pas un peu loin ? Vous saurait-il gré, soit pour lui, soit pour Mlle Thorpe, d'admettre que les sentiments et la conduite de son amie dépendent de la présence du capitaine Tilney ? N'y a-t-il de sécurité pour lui que dans sa solitude à elle ? Ou bien ne peut-elle lui garder sa foi que si son cœur n'est sollicité par personne ? Il ne peut penser cela et certainement ne voudrait pas que vous le pensiez. Je ne vous dis pas : « Ne soyez pas inquiète. » Je sais que vous êtes inquiète. Mais soyez-le le moins possible. Vous ne doutez pas du mutuel attachement de votre frère et de votre amie ? Concluez donc qu'entre eux il ne peut y avoir ni jalousie réelle, ni désaccord qui dure. Mieux que vous, chacun d'eux voit clair dans le cœur de l'autre. Ce qu'ils peuvent attendre l'un de l'autre, ils le savent exactement et quelle est la mesure de ce qu'ils peuvent supporter. Tenez pour certain qu'Isabelle ne taquinera James que jusqu'à la limite où James cesserait d'y prendre plaisir.

Comme elle gardait un air morose et dubitatif, il ajouta :

— Quoique Frédéric ne parte pas avec nous, il demeurera sans doute peu de temps ici. À peine quelques jours peut-être. Son congé expire bientôt, et il doit rejoindre son régiment. Alors que restera-t-il de leurs relations ? Le mess boira à Isabelle Thorpe sur l'invitation du capitaine, pendant quinze jours, et Isabelle Thorpe rira avec votre frère, pendant un mois, de la passion du pauvre Tilney.

Catherine cessa enfin de lutter contre sa propre tranquillité. Henry n'était-il pas plus expérimenté qu'elle ? Elle s'en voulut d'avoir été si inquiète et elle résolut de ne plus prendre les choses au tragique. Au surplus, ce qui suivit ne lui en eût fourni l'occasion. Les Thorpe passèrent à Pulteney Street la dernière soirée du séjour de Catherine. James était de très bonne humeur. Isabelle était gracieusement calme. Sa tendresse pour son amie semblait être son sentiment dominant ; mais, en ces minutes, n'était-ce pas tout naturel ? Une fois, elle contredit nettement James : une fois, elle retira sa main qu'il avait prise. Catherine, encore sous l'impression des paroles de Henry, admit que ces réserves légères eussent leur raison d'être. On peut se figurer les adieux – embrassades, larmes, promesses – de ces jolies filles.

XX

M. et Mme Allen étaient fort tristes de perdre leur jeune compagne. De par son humeur charmante, elle leur avait été précieuse, et la joie qu'ils lui donnaient avait été un adjuvant à leur plaisir. Mais le bonheur qu'elle ressentait à accompagner son amie était pour atténuer leur regret, et, comme ils ne devaient rester à Bath qu'une semaine encore, ils ne souffriraient pas trop longtemps de son absence. M. Allen l'accompagna jusqu'à Milsom Street, où elle devait déjeuner. Il la vit parmi ses nouveaux amis qui lui faisaient le plus gracieux accueil. Émue de se trouver en quelque manière incorporée aux Tilney, inquiète à l'idée qu'ils pouvaient perdre la bonne opinion qu'ils avaient d'elle, Catherine, dans la gêne des cinq premières minutes, eût presque souhaité retourner à Pulteney Street avec M. Allen.

Les façons de Mlle Tilney et le sourire de Henry eurent vite atténué son malaise, mais les attentions incessantes du général l'empêchaient de se ressaisir tout à fait. Ce n'était pas sans remords qu'elle se l'avouait, mais elle eût voulu qu'on s'occupât moins d'elle. La sollicitude du général, son insistance à forcer un appétit qui réluctait, ses craintes qu'elle ne trouvât rien d'assez délicat, elle qui n'avait jamais vu table si somptueuse, lui rappelaient trop sa qualité d'invitée. Elle se sentait indigne de tant d'égards et ne savait comment y répondre. En outre, le général s'impatientait de l'absence de son fils aîné, et il déclara, quand enfin Frédéric parut, que tant de paresse le mécontentait fort. Cette algarade n'était pas de nature à augmenter l'assurance de Catherine. Elle était très attristée d'une réprimande si disproportionnée au délit, et son chagrin s'accrut encore quand elle découvrit qu'elle était la cause efficiente de la semonce : le retard, en effet, était proclamé irrespectueux pour elle. Ce grief la mettait dans une situation très désagréable. Elle ressentit une grande compassion pour le capitaine Tilney.

Il écouta son père en silence, ne tenta aucune justification, ce qui confirma Catherine dans la pensée que, hanté d'Isabelle, il n'avait pu s'endormir qu'après des heures – d'où un lever si tardif. C'était la première fois qu'elle se trouvait nettement en la compagnie de Frédéric Tilney : elle allait donc se documenter sur lui... Mais il parla à peine, tant que le père fut dans la salle à manger. Et il avait la gorge si serrée par l'émotion que, même après, elle n'entendit de lui que ces mots à mi-voix :

— Que je serai donc content quand vous serez tous partis !

L'agitation du départ n'eut rien de joyeux. L'horloge marquait dix heures quand on descendit les malles. Or le général Tilney avait décrété le départ pour cette même heure. Son manteau, au lieu de lui être apporté de sorte qu'il pût s'en envelopper immédiatement, était étalé dans le curricle qu'il devait occuper avec son fils. Dans l'autre voiture devaient prendre place trois personnes, et pourtant le strapontin n'était pas tiré, et la femme de chambre avait tellement encombré les sièges de paquets que Mlle Morland n'aurait où s'asseoir. Le général était si ému par cette appréhension qu'en aidant Catherine à monter il faillit faire choir sur le pavé le nouveau nécessaire à écrire de la jeune fille. Enfin la portière se ferma sur les trois femmes, et l'attelage partit de ce pas mesuré dont quatre beaux chevaux bien nourris et appartenant à un gentleman accomplissent ordinairement un voyage de trente milles. C'était la distance qui séparait Bath de Northanger. Elle devait être parcourue en deux étapes égales. Catherine renaissait déjà à la gaîté ; avec Mlle Tilney elle ne ressentait aucune contrainte. L'attrait d'une route nouvelle, la perspective d'une abbaye, un curricle à l'arrière, elle n'éprouva nul regret quand Bath s'évanouit dans l'espace, et les pierres milliaires se succédaient avec une vitesse qui l'étonnait. Puis ce furent deux heures d'ennui au relais de Petty France, où il n'y avait autre chose à faire que manger sans avoir faim et rôder çà et là sans qu'il y eût rien à voir, station qui ne laissa pas d'atténuer un peu l'admiration de Catherine pour leur manière de voyager, pour le style de l'attelage, pour les postillons à la belle livrée qui d'un mouvement régulier se soulevaient sur la selle, pour les piqueurs si bien montés. Cet arrêt pourtant n'eût rien eu de très fâcheux, si le commerce de nos voyageurs eût été plus facile : mais il semblait que le général Tilney, encore qu'un très charmant homme, fût un frein à la gaîté de ses enfants. Seul il parla, et pour exécrer tout ce que fournissait l'hôtellerie et vitupérer les domestiques. La crainte qu'il inspirait à Catherine en fut accrue, et les deux heures qu'elle passa au relais lui semblèrent interminables.

Enfin l'ordre d'élargissement fut donné. Catherine fut très surprise d'entendre le général l'inviter à le remplacer dans le curricle pour le reste du voyage. La journée était belle et il désirait qu'elle vît le pays le mieux possible.

Au souvenir de l'opinion de M. Allen, touchant les promenades des jeunes gens en voiture découverte, elle rougit, et sa première pensée fut de refuser ; la seconde fut plus déférente envers le général Tilney : il ne pouvait proposer rien que de convenable. Quelques instants après, elle était installée à côté de Henry Tilney, heureuse autant qu'on peut l'être. Il ne fallut pas une longue expérience pour la convaincre qu'un curricle est l'équipage par excellence : la chaise de poste s'avançait avec majesté, certes ; mais c'était une pesante et fastidieuse machine et qui avait motivé – elle ne pouvait aisément l'oublier – leur arrêt de deux heures à Petty France ; la moitié de ce temps eût suffi au curricle, et si agiles étaient ses trotteurs que, si le général Tilney n'avait décidé que la chaise ouvrirait la marche, ils auraient pu la dépasser facilement ; mais le mérite du curricle n'appartenait pas seulement aux chevaux : Henry conduisait si bien, avec tant de calme et si peu d'ostentation... (Quelle disparate avec cet autre conducteur de coches qui fouettait et sacrait sur les routes de Bath !) Son chapeau était si bien d'aplomb ; les collets innumérables de son manteau s'étoffaient si galamment ! Après le bonheur de danser avec Henry Tilney, il n'était évidemment bonheur que d'être ainsi conduite par lui. Il la remerciait au nom de sa sœur, qui, disait-il, n'était pas dans une situation à envier : elle n'avait pas de compagnes et, en l'absence, fréquente, de son père, était souvent bien seule.

— Mais, objectait Catherine, n'êtes-vous pas là ?

— Northanger n'est qu'à demi ma demeure. Je suis installé à Woodston, qui est à vingt milles de la maison de mon père. J'y passe forcément une partie de l'année.

— Comme cela doit vous être pénible !

— Il m'est toujours pénible d'être loin d'Éléonore.

— Oui ; mais, outre votre affection pour elle, vous devez tant aimer l'abbaye. Habitué à une telle demeure, vous trouvez sans doute bien déplaisant un presbytère pareil à tous les autres.

Il sourit.

— Vous vous êtes fait une image très séduisante de l'abbaye.

— Certes. N'est-ce pas là un de ces vieux monuments si beaux que décrivent les livres ?

— Êtes-vous prête à affronter les horreurs qu'enclôt un monument pareil à ceux « que décrivent les livres » ? Avez-vous le cœur ferme ? les nerfs assez bien trempés pour voir sans épouvante glisser un panneau ou onduler une tapisserie ?

— Oh ! oui ! Je ne m'effrayerai pas facilement, me semble-t-il : il y aura tant de monde ! Puis l'abbaye n'est jamais restée inhabitée. Ce n'est pas une de ces demeures longtemps laissées à l'abandon et où s'installent, un beau jour, les descendants des hôtes de jadis.

— Bien entendu, et nous n'aurons pas à nous avancer, à pas hasardeux, sous de ténébreuses voûtes éclairées par les rayons avares d'un feu qui expire ; nous n'étendrons pas nos couches dans une salle sans fenêtres, sans portes, sans meubles. Mais vous devez savoir que, quand une jeune personne est introduite dans une demeure de ce genre, elle est toujours logée à part. Pendant que les hôtes se replient en silence vers l'aile qu'ils habitent, Dorothée, l'antique femme de charge, la conduit cérémonieusement, par un autre escalier et de sombres couloirs, à un appartement déshabité depuis qu'y mourut, vingt ans passés, un vague parent. Ne craindrez-vous pas pour votre raison, quand vous vous trouverez dans cette chambre trop spacieuse, qu'éclaire un lumignon dont les lueurs misérables meurent sur une haute lisse à personnages, et où un lit drapé de lourd velours pourpre ou vert sombre s'allonge funèbre ? Votre cœur ne faillira-t-il pas ?

— Oh ! mais rien de tout cela ne m'arrivera, j'en suis sûre.

— Combien craintivement vous inventorierez le mobilier de votre chambre ? Et que distinguerez-vous ? Tables, toilettes, armoires ni commodes ; mais, peut-être, là les débris d'un luth, là un lourd coffre que nul effort ne peut ouvrir, au-dessus de la cheminée le portrait de quelque inquiétant guerrier sur lequel vos yeux s'halluci-neront. Dorothée, cependant, que trouble votre survenue, vous regarde anxieuse et risque quelques spécieux avis. Sous couleur de relever votre courage, elle vous confirme dans l'idée que cette partie de l'abbaye est hantée et vous avertit qu'aucun domestique ne saurait entendre votre appel. Sur ce réconfortant adieu, elle fait la révérence et se retire. Vous écoutez jusqu'à leur résonance dernière ses pas s'éloigner et quand, le cœur défaillant, vous voulez fermer la porte, vous constatez qu'elle n'a pas de serrure.

— Oh ! monsieur Tilney, comme c'est effrayant ! C'est absolument comme dans les livres. Mais certainement rien de tout cela ne m'arrivera. Je suis sûre que votre femme de charge n'est pas cette Dorothée... Et ensuite ?...

— Peut-être, la première nuit, ne se passera-t-il rien d'insolite. Après avoir surmonté l'appréhension que ce lit vous inspire, vous vous y glisserez enfin et, quelques heures, vous dormirez d'un sommeil trouble. La seconde nuit, la troisième au plus tard, se déchaînera sans doute un orage. Des coups de tonnerre à ébranler l'édifice jusqu'à sa base se répercuteront dans les monts d'alentour, et, tandis que siffleront plus fort les rafales accompagnatrices, vous croirez discerner (car votre lampe n'est pas éteinte) qu'un pan des tentures remue. Incapable de réprimer votre curiosité en une si propice occurrence, vous vous lèverez et, vous drapant d'un peignoir, vous irez vers le mystère. Après un court examen, vous découvrirez dans la tapisserie une fente si habilement dissimulée qu'elle devait défier l'inspection la plus minutieuse. Écartant les pans, vous apercevrez une porte défendue uniquement par de fortes barres et un verrou. Vous réussissez à l'ouvrir, et, la lampe à la main, la franchissez : vous êtes maintenant dans une petite pièce à voûte surbaissée.

— Non, vraiment, j'aurais trop peur.

— Comment ! Quand Dorothée vous a laissé entendre qu'il y a, entre votre appartement et la chapelle de Saint-Antoine, distante de deux milles à peine, un secret et souterrain chemin ! Reculeriez-vous devant une aventure si simple ? Non, non, vous passerez donc de l'étroite salle voûtée dans d'autres salles et dans d'autres encore, sans remarquer dans aucune d'elles rien d'anormal. Dans l'une, peut-être, verrez-vous un poignard, dans une autre des gouttes de sang, dans une troisième les vestiges de quelque instrument de torture. Mais comme il n'y a rien, en tout cela, que de très naturel et comme votre lampe est sur le point de s'éteindre, vous vous décidez à rentrer dans votre appartement. Dans une des salles que vous traversez en revenant sur vos pas, vous apercevrez soudain un antique cabinet ébène et or, que vous n'aviez pas vu malgré votre méticuleux examen. Sous l'empire d'un irrésistible pressentiment, vous vous approchez. Vous ouvrez les battants, visitez les tiroirs, sans rien découvrir qui vaille l'attention, un amas de diamants tout au plus. Mais vous avez touché un ressort secret, un panneau intérieur s'est ouvert : vous apercevez un rouleau de papiers. Vous vous en saisissez : c'est un manuscrit volumineux. Riche de ce trésor, vous courez à votre chambre. À peine avez-vous pu déchiffrer : « Oh ! qui que tu sois, toi entre les mains de qui est tombé ce mémorial de la déplorable Mathilde… », la mèche s'éteint au bec de la lampe : vous êtes dans les ténèbres.

— Oh ! non ! non ! ne dites pas cela !… Je vous en prie, continuez.

Mais Henry était trop amusé par le spectacle de l'émoi de sa compagne pour pouvoir continuer le jeu et maintenir plus longtemps sa voix dans le ton solennel du sujet. Il déclara remettre à l'imagination de Catherine le soin d'achever la lecture des malheurs de Mathilde. Catherine, reprenant possession d'elle-même, fut honteuse, d'avoir montré une si avide curiosité : elle affirma que son attention avait été séduite, mais non pas sa foi. Elle était certaine que Mlle Tilney ne la logerait pas dans une telle chambre. Elle n'avait nulle crainte à ce sujet.

Comme approchait la fin du voyage, son impatience de connaître Northanger, qu'avait atténuée une conversation relative aux sujets les plus divers, reprit le dessus, et, à chaque détour de la route, elle espérait, avec une crainte religieuse, voir surgir d'un massif de chênes ses murailles de pierre grise et étinceler au soleil du soir ses hautes fenêtres gothiques. Mais le bâtiment était si peu élevé qu'elle avait franchi les portes d'enceinte et se trouvait en plein sur le territoire de Northanger sans avoir vu même une antique cheminée.

Elle ne savait pas bien si elle devait s'étonner, et pourtant il y avait dans cette façon d'aborder l'abbaye quelque chose qui la déconcertait. Longer des bâtiments tout modernes, se trouver, et si naturellement, dans l'enceinte de l'abbaye, rouler si vite sur un fin gravier, tout cela sans obstacles, sans alertes, sans cérémonial d'aucune sorte, voilà qui la frappait comme un fait étrange et contradictoire. Quoi qu'il en soit, elle n'eut pas le loisir d'une ratiocination plus longue. Un paquet de pluie venait de la frapper au visage, et tout son effort de pensée se consacra à la sauvegarde de son chapeau de paille neuf. Elle était alors sous les murs mêmes de l'abbaye. Elle sauta de la voiture et se trouva sous l'antique porche, à l'abri. Aussitôt elle pénétrait dans le vestibule où l'attendaient, pour lui souhaiter la bienvenue, son amie et le général – et nul présage de malheur, pas le moindre rappel de quelque scène d'horreur dont eût été témoin l'imposant édifice. Le vent n'avait point porté vers Catherine les soupirs de la victime ; il se contentait de porter une brume épaisse et de faire claquer les jupes de la jeune fille. Celle-ci était prête à faire son entrée au salon et capable de se rendre compte de ce qui se passait autour d'elle.

Une abbaye ! Quelle joie, être vraiment dans une abbaye ! Mais à l'examen des aîtres, elle douta que ce qu'elle avait sous les yeux correspondît à cette notion. Dans sa profusion et son élégance, le mobilier était selon le goût moderne. La cheminée, dont elle s'attendait à voir se développer sculpturalement le vétuste manteau, se restreignait à un Rumford avec plaques de marbre et porcelaines ornementales. Les fenêtres, qu'elle regarda avec un intérêt tout particulier, le général ayant dit qu'il en avait respecté religieusement la forme gothique, ne répondaient pas aux promesses de son imagination. Certes, leur arc avait été conservé, leur forme était gothique, mais leurs vitres étaient si grandes et si limpides ! À une imagination qui s'était représenté des fenêtres à étroits croisillons, à épais meneaux, à vitraux, poussiéreuses et décorées de toiles d'araignée, la réalité était déconcertante.

Le général, voyant Catherine regarder autour d'elle, se mit à parler de l'exiguïté de la pièce, de la simplicité du mobilier qui, destiné à un usage journalier, ne visait qu'au confort, etc. Du moins, dans l'abbaye, y avait-il, il s'en flattait, quelques pièces point indignes de l'attention de Catherine, et il célébrait la riche dorure de l'une d'elles, quand, tirant sa montre, il s'arrêta net pour proférer avec stupéfaction :

— Cinq heures moins vingt !

Ce fut le signal de la dispersion. Catherine fut entraînée par Mlle Tilney avec une hâte qui lui apprit quelle stricte ponctualité était exigée à Northanger.

Elles retraversèrent l'immense vestibule et gravirent un monumental escalier de chêne ciré qui, de volées en paliers, les conduisit à une longue et spacieuse galerie. D'un côté, une rangée de portes ; de l'autre, des baies qui donnaient sur une cour rectangulaire. Déjà, Mlle Tilney menait Catherine vers une chambre, où elle ne resta que le temps d'exprimer l'espoir que le logis fût trouvé confortable. Elle quitta Catherine, en lui recommandant de faire à sa toilette le moins de changements possible.

XXI

D'un coup d'œil, Catherine vit que sa chambre était très différente de celle qu'avait décrite si pathétiquement M. Tilney. Elle n'était pas vaste outre mesure ; les murs étaient tendus de papier ; un tapis couvrait le plancher ; les fenêtres n'étaient pas en moins bon état ni moins claires que celles du salon ; sans être du dernier genre, le mobilier était élégant et confortable ; l'ensemble était loin d'être triste. Instantanément rassurée, Catherine résolut de ne pas s'attarder à un examen de détail : elle ne voulait pas mécontenter le général par un retard. Elle enleva sa robe prestement et se disposait à tirer de leur enveloppe ses objets de toilette, quand soudain son regard tomba sur un coffre relégué dans une profonde encoignure, près de la cheminée. Elle soubresauta et, oubliant toute autre chose, dans un étonnement immobile elle contempla le coffre, cependant que la traversaient ces pensées :

« Voilà qui est étrange ! Je ne m'attendais pas à cette découverte ! Ce coffre énorme ! Que peut-il contenir ? Pourquoi l'avoir placé là ? On l'a mis à l'écart, comme pour le cacher… Si je regardais… Coûte que coûte, je saurai ce qu'il contient… et même tout de suite… en plein jour. Le soir, ma lumière pourrait s'éteindre. »

Elle s'approcha du coffre, l'examina de tout près ses parois de cèdre étaient curieusement incrustées d'un bois plus sombre ; il avait un support bas de cèdre sculpté ; la serrure était d'un argent terni par le temps, et les poignées d'argent étaient rompues, décelant peut-être quelque étrange violence ; le centre du couvercle se marquait d'un monogramme du même métal. Catherine se pencha, mais sans parvenir à le déchiffrer. De quelque côté qu'elle se mît, la seconde lettre persistait à ne pas être un T. Et que ce fût une autre lettre, il y avait là de quoi susciter un étonnement peu ordinaire, cette maison appartenant aux Tilney. S'il n'était pas originairement leur, par quel concours de circonstances ce coffre leur était-il échu ?

Sa curiosité allait croissant. De ses mains tremblantes, Catherine dégagea le moraillon. Avec difficulté, car quelque chose semblait contrarier ses efforts, elle parvint à soulever de deux ou trois pouces le couvercle. À ce moment, un coup à la porte la fit tressaillir ; elle retira la main et le couvercle retomba lourdement. L'intruse était une femme de chambre qui, sur l'ordre de Mlle Tilney, venait offrir ses services. Catherine la congédia, mais, rappelée à la réalité, et en dépit de son anxieux désir de pénétrer un mystère, elle procéda à sa toilette sans autre délai. Elle n'allait pas vite, car ses pensées et ses regards étaient encore fixés sur l'inquiétant objet ; et, quoiqu'elle n'osât consacrer une minute à une nouvelle tentative, elle ne pouvait se désintéresser du coffre. Cependant, quand elle eut passé une des manches de sa robe, sa toilette semblait si près d'être finie qu'elle crut pouvoir donner un gage à sa curiosité. Oh ! il ne s'agissait que d'une minute. Elle ferait un effort si décisif que le couvercle, si une puissance occulte ne le maintenait, céderait. Elle s'élança donc, et son espoir ne fut pas déçu. Le couvercle se souleva et, à ses yeux étonnés, parut, soigneusement pliée et seule dans l'immensité du coffre, une courtepointe en coton blanc.

Elle la considérait, et l'étonnement rosissait ses joues, quand Mlle Tilney, qui craignait que Catherine ne se mît en retard, entra dans la chambre. À la honte d'avoir donné asile à une absurde espérance s'ajoutait en Catherine la honte d'être surprise.

— C'est un curieux vieux coffre, n'est-ce pas ? dit Mlle Tilney comme Catherine se hâtait de le refermer et retournait à la glace. On ne sait depuis combien de générations il est ici. Comment arriva-t-il dans cette chambre ? Je l'ignore ; mais je ne l'ai pas fait déplacer : on peut y mettre des chapeaux et des bonnets. Le pis est qu'on ne l'ouvre pas facilement. Du moins, dans ce coin, il n'encombre pas.

Catherine, impuissante à proférer une syllabe, rougissait, agrafait sa robe et prenait de sages résolutions. Mlle Tilney exprima doucement sa crainte d'un retard. En une demi-minute elles descendirent l'escalier, et leur crainte était assez fondée, car le général arpentait le salon, sa montre à la main. Au moment où elles entraient, il agita la sonnette et ordonna :

— Que le dîner soit sur la table immédiatement !

Ce ton impérieux troubla Catherine. Elle restait là, pâle et haletante, inquiète pour Éléonore et Henry, et pleine de détestation pour les vieux coffres. Le général, dès qu'il l'eut regardée, récupéra sa politesse et, en conséquence, se mit à gourmander sa fille : « Elle avait harcelé Catherine et l'avait mise hors d'haleine alors qu'il n'y avait nulle raison de tant se hâter. » Catherine ne put se consoler de cette réprimande inopportune que lorsque, tous bien installés à table, le général arbora un sourire débonnaire et qu'elle sentit s'aiguiser son appétit de voyageuse.

La salle à manger était une pièce plus grande encore que le salon. Son luxe emphatique échappait à l'observation peu exercée de Catherine, qui remarquait surtout sa vastitude et le nombre des serviteurs.

Elle exprima de l'admiration pour tant d'espace. Sur quoi, le général, l'air très gracieux, convint que la salle n'était pas par trop petite ; il avoua ensuite que, si, peu soucieux qu'il fût de ces choses, il considérait une grande salle à manger comme indispensable. Du reste, il supposait que miss Morland avait accoutumé de voir, chez les Allen, des pièces bien plus spacieuses encore...

— Point du tout.

Et elle exposa que la salle à manger de M. Allen était plus petite de moitié. De sa vie elle n'avait vu pièce aussi grande. La bonne humeur du général s'accentua. Voilà : comme il avait, lui, de telles pièces, il pensait que le plus simple était qu'il s'en servît ; mais, sur son honneur, il croyait que les pièces plus petites de moitié devaient être plus confortables. La maison de M. Allen, il en était sûr, était à souhait.

La soirée s'écoula sans émotion nouvelle et, le général ayant été appelé au dehors, avec plus de franche gaieté. C'est seulement en sa présence que Catherine ressentait du voyage une légère fatigue. Mais, même alors, même dans les moments de contrainte, elle éprouvait une sensation de plénitude, et pouvait penser à ses amis de Bath sans souhaiter être auprès d'eux.

La nuit fut orageuse. Durant l'après-midi, le vent avait soufflé par intervalles. A l'heure où se séparèrent les Tilney et Catherine, il ventait et pleuvait avec violence. Comme elle traversait le vestibule, elle entendit le bruit des bourrasques et devint attentive. Au lointain des bâtiments, une porte claqua. Catherine, pour la première fois, sentit qu'elle était dans une abbaye. Oui, c'étaient là les bruits caractéristiques. Ils évoquèrent profusément à sa mémoire telles situations terribles, telles scènes d'horreur dont tant d'édifices de cette sorte avaient été les témoins, et qui avaient eu des tempêtes pareilles pour avant-courrières. Elle n'avait rien à craindre, elle, des assassins de la douzième heure ou des galants ivres. Certainement, ce que lui avait dit Henry était simple jeu. Dans une maison si habitée, quel danger pouvait-elle courir ? Comme dans sa propre chambre de Fullerton, elle entrerait dans sa chambre de Northanger qui, détail rassurant, était à deux portes de celle de Mlle Tilney. Ainsi, elle raffermissait son âme et gravissait l'escalier.

Ce fut d'un cœur assez brave qu'elle pénétra dans sa chambre, où la flamme joyeuse d'un feu de bois lui fut un nouveau réconfort. Elle alla vers la cheminée.

« Comme c'est mieux de trouver un bon feu que d'attendre en grelottant que toute la famille soit couchée et que la vieille servante arrive, effrayante sous son fagot ! Si Northanger n'eût pas été ce qu'il est, je ne sais si j'aurais pu répondre de mon courage. Mais ici, il n'y a rien qui soit pour vous alarmer. »

Elle eut un regard circulaire. Les rideaux des fenêtres semblaient remuer. Sans doute le vent pénétrait par les interstices des volets... Hardie et fredonnant un air, elle alla s'en assurer. Elle entrebâilla les rideaux, ne remarqua rien, mit la main contre le volet intérieur et constata que le vent s'insinuait. Un coup d'œil au coffre, comme elle revenait sur ses pas, et elle se railla des craintes de son imagination désœuvrée, puis, en une indifférence heureuse elle commença sa toilette de nuit. Elle prendrait son temps, ne se presserait pas ; il lui importait peu de rester debout la dernière de toute la maisonnée. Elle ne rechargerait pas le feu : elle n'avait pas besoin de la protection de la lumière, une fois couchée. Le feu mourut lentement. Catherine, qui avait mis près d'une heure à faire sa toilette, songeait à se mettre au lit, quand, jetant un dernier regard par la chambre, elle aperçut un antique cabinet de bois noir, qu'elle n'avait point encore remarqué quoiqu'il fût assez en évidence. Les paroles de Henry, cette description du cabinet d'ébène qui tout d'abord échapperait à son observation, lui revinrent aussitôt à la mémoire. Il y avait là une coïncidence remarquable. Elle prit sa lampe et examina le cabinet. À la vérité, il n'était pas ébène et or ; c'était un laque du japon, fort beau, et dont les arabesques, à la lueur de la lampe, luisaient comme de l'or, sur le noir du champ.

La clef était dans la serrure. Catherine eut le caprice d'explorer le meuble, non qu'elle espérât y faire quelque découverte, mais la présence, là, de ce cabinet était si étrange après ce que Henry avait dit ! D'ailleurs, le sommeil ne la visiterait pas avant qu'elle sût à quoi s'en tenir. Ayant placé la lampe précautionneusement sur une chaise, elle essaya, et sa main tremblait, de faire jouer la clef dans la serrure : la clef résista. Inquiète, point découragée, elle tenta de l'autre sens : le pêne glissa. Elle était victorieuse... Mais, combien étrangement mystérieux ! la porte encore était close.

Le vent rauquait dans la cheminée ; la pluie s'abattait torrentielle sur les vitres ; les choses parlaient avec concordance le langage de la terreur. Pourtant, se retirer dans son lit, sans avoir pénétré les arcanes du cabinet, Catherine ne le pouvait. Elle se remit à l'œuvre, tournant nerveusement la clef en tous sens : la porte soudain céda. Son cœur sauta d'allégresse. Elle ouvrit un battant ; puis l'autre, qu'assuraient des verrous moins rebelles que la serrure. Apparut un double rang de petits tiroirs, au-dessus et au-dessous desquels s'alignaient des tiroirs plus grands ; au centre, une petite porte fermée à clef défendait, selon toutes probabilités, une cachette d'importance.

Catherine haletait, mais son courage ne faiblit pas. Rougissante et toute sa curiosité tendue, elle ouvrit un tiroir. Il était vide. Avec moins de crainte et plus d'impatience, elle en ouvrit un second, un troisième, un quatrième, elle les ouvrit tous, tous vides. Instruite à l'art de dissimuler un trésor, elle ne négligea pas l'hypothèse du double fond : elle palpa scrupuleusement chaque tiroir, en vain. Seule, restait inexplorée la partie centrale. Quoique Catherine n'eût « jamais eu la pensée qu'on pût trouver là n'importe quoi dans n'importe quel coin et que son insuccès ne l'eût pas le moins du monde désappointée, il eût été absurde de ne pas visiter entièrement le cabinet, la perquisition commencée ». La porte résista d'abord, comme avait résisté la porte extérieure, puis, comme elle, céda, et Catherine aperçut, tout au fond de l'antre, un rouleau de papier. Ses genoux tremblèrent, ses joues blêmirent. D'une main incertaine, elle captura le précieux manuscrit. (Elle avait, du premier coup, discerné des caractères d'écriture.) Comme Henry l'avait prédit, elle lirait le mémorial avant de tenter le sommeil.

La lumière faiblissait. Catherine, alarmée, se retourna. Une extinction soudaine n'était pas à craindre. La mèche brûlerait encore quelques heures. Catherine, afin de n'éprouver à sa lecture d'autre difficulté que celle qui résulterait de l'ancienneté du document, moucha la lampe. Elle fut tout ensemble, hélas ! mouchée et éteinte, la lampe. Nulle lampe n'expira jamais sur un mode plus pathétique. D'horreur, Catherine resta d'abord stupide... Tout était fini : sur la mèche nul point en ignition ; en Catherine, nul espoir. Plus rien dans la chambre, que l'obscurité impénétrable et immobile.

Un brusque ressaut du vent accrut l'horreur de la nuit. Catherine tremblait de la tête aux pieds. Pendant l'accalmie qui suivit, un bruit pareil à celui de pas qui s'éloignent et le fracas, au loin, d'un ventail qu'on ferme frappèrent son oreille épouvantée. Une sueur froide perlait à son front ; le manuscrit lui échappa ; à tâtons, elle se dirigea vers son lit et s'enfouit au plus profond des couvertures. Dormir était pour elle complètement hors de question, et la tempête était aussi tumultueuse que son âme. Catherine d'ordinaire n'avait pas peur du vent ; mais, cette nuit, chacune de ses rafales était lourde de significations. Le manuscrit trouvé d'une façon si merveilleuse, si merveilleusement accomplies les prédictions du matin, quelle explication naturelle donner de tout cela ? Ce manuscrit, que contenait-il ? à qui pouvait-il se rapporter ? comment était il resté ignoré si longtemps ? et combien singulier qu'il lui fût réservé, à elle, de le découvrir ! Jusqu'à ce qu'elle se fût rendue maîtresse du texte, elle ne connaîtrait pas la quiétude. Aux premières lueurs du jour, elle le déchiffrerait. Nombreuses étaient les heures, et si longues, qui devaient s'écouler encore. Elle frissonnait. Elle se tournait, se retournait dans son lit. Elle enviait les dormeurs paisibles.

Tantôt ses courtines mêmes semblaient s'agiter ; tantôt la serrure de la porte était secouée comme pour une irruption. Des murmures sourds rampaient par la galerie, et plus d'une fois son sang se glaça à des lamentations lointaines. Les heures et les heures passaient. Catherine avait entendu clamer trois heures par toutes les horloges de la maison… Puis, un grand calme. La tempête s'était-elle calmée ? Catherine s'était-elle endormie ?…

XXII

Au bruit que fit la servante en repliant les volets, la jeune fille ouvrit les yeux. Il était huit heures ; le feu, brûlait déjà dans la cheminée ; un allègre matin avait succédé à la nuit furieuse. Renaquirent simultanément en Catherine le sentiment de son existence et le souvenir du manuscrit. Elle sauta du lit dès que disparut la domestique, réunit les feuillets épars, revint en grande hâte à son oreiller, toute prête à la volupté d'une lecture de découverte. Ce n'était pas un manuscrit aussi copieux que ceux que les romans reproduisaient pour son effroi de lectrice : le rouleau, qui paraissait tout de feuilles volantes, était de dimensions minimes, beaucoup plus petit qu'elle n'avait cru la veille.

Son œil avide parcourut rapidement une page. Était-ce possible ? ou bien ses sens la trompaient-ils ? Un inventaire de linge en vulgaires caractères modernes ! Si elle n'était pas le jouet d'une hallucination, oui, c'était bien une note de blanchissage. Elle prit un autre feuillet : mêmes articles, avec quelques variantes ; un troisième, un quatrième, un cinquième, et le sujet persistait : chemises, bas, gilets, cravates. Deux autres feuillets étaient à peine plus impressionnants : ils notaient des dépenses : lettres, poudre à poudrer, cordons de souliers, etc. Le plus grand feuillet, celui qui enveloppait les autres, était une ordonnance de maréchal-vétérinaire, comme l'indiquait sa première ligne : « Appliquer un cataplasme à la jument alezane. » Telle était la collection (laissée là, sans doute, par une fille de service négligente) qui lui avait valu une nuit blanche. Catherine se sentit humble comme la poussière. L'aventure antérieure n'avait-elle donc pu lui enseigner la sagesse ? De son lit, elle apercevait un coin comme ironique du coffre. Supposer qu'un manuscrit centenaire fût resté ignoré dans cette chambre, ou qu'elle eût seule le talent d'ouvrir un cabinet dont la clef était à la portée de tous ! Comment avait-elle pu se leurrer à ce point ? Plût au ciel que sa sottise ne fût jamais connue de Henry ! Du reste, il en était complice : si l'aspect du cabinet n'avait pas paru concorder si exactement avec la description qu'il avait faite, sa curiosité se fût-elle donné carrière ? C'était là sa seule consolation. Impatiente de se débarrasser des témoignages de sa folie, ces feuillets épars sur les couvertures, elle se leva, les remit autant que possible dans leur ordre, primitif, et les replaça dans leur cachette, en formant des vœux pour qu'aucun nouvel incident ne les en fît sortir à sa confusion.

Que les serrures eussent été si rétives restait cependant un fait anormal, car maintenant elle les gouvernait avec une aisance parfaite. Là, persistait du mystère, et elle s'abandonnait à cette idée flatteuse, quand la possibilité de portes non closes qu'elle aurait elle-même fermées lui apparut et la fit rougir encore.

Elle sortit au plus vite d'une chambre où les choses mêmes lui reprochaient sa conduite et se rendit en toute hâte à la salle du déjeuner, que Mlle Tilney lui avait désignée la veille. Henry y était seul. L'espoir, qu'il formula aussitôt, qu'elle n'eût point été incommodée par l'orage et l'allusion qu'il fit au caractère abbatial du logis étaient un peu troublants. Pour rien au monde, elle n'eût voulu qu'il soupçonnât sa faiblesse. Mais, incapable d'un franc mensonge, elle avoua que le vent avait légèrement troublé son sommeil.

— Cette journée est charmante, ajouta-t-elle pour fuir un dangereux sujet de conversation. Tempêtes et insomnies ne sont rien, une fois passées. Quelles belles jacinthes ! justement j'ai appris à aimer les jacinthes.

— Et comment l'avez-vous appris ? Empiriquement ? Théoriquement ?

— C'est votre sœur qui m'enseigna. Comment, je ne saurais dire. Tous les ans, Mme Allen s'efforçait de me les faire aimer. Je ne pouvais. Quand enfin, l'autre jour, j'en vis à Milsom Street. Moi qui, par nature, ne m'intéresse pas aux fleurs !

— Mais maintenant vous aimez les jacinthes. Tant mieux. Ce vous est une nouvelle source de jouissances, et il est bon d'avoir sur le bonheur le plus de prise possible. Disons aussi que le goût des fleurs est précieux aux femmes : cela les incite à sortir et à prendre de l'exercice. Quoique l'amour des jacinthes soit un amour casanier, qui peut dire, ce sentiment éveillé, si un jour vous n'en arriverez pas à aimer une rose ?

— Je n'ai pas besoin de prétextes pour sortir. Le plaisir de marcher et de respirer l'air frais m'est un appât suffisant. Quand il fait beau, je suis dehors la moitié du temps. Maman dit qu'on ne me trouve jamais à la maison.

— Quoi qu'il en soit, je suis content que vous sachiez maintenant aimer les jacinthes. Ce qui importe, en effet, c'est de savoir aimer. Et ma sœur a-t-elle une agréable méthode d'enseignement ?

Catherine fut sauve de l'embarras d'une réponse : le général entrait. Les compliments qu'il lui fit indiquaient qu'il était dans une bonne disposition d'esprit.

À table, l'élégance du service s'imposa à l'attention de Catherine. Par fortune, il était du choix du général, qui fut enchanté de l'approbation et qui déclara que ce service était tout ensemble simple et d'un goût habile. Il lui paraissait juste d'encourager l'industrie de son pays. Pour son palais peu exigeant, le thé avait un arôme égal dans du Stafford et dans du Saxe ou du Sèvres. Mais c'était déjà un vieux service, un service qui datait de deux ans ; depuis lors, la fabrication s'était bien perfectionnée ; il avait vu de très beaux spécimens de cette fabrication nouvelle la dernière fois qu'il était allé à Londres, et, s'il n'eût été complètement insoucieux de ces futilités, il aurait pu céder à la tentation. Il croyait cependant qu'avant longtemps il aurait l'occasion d'en choisir un, encore que ce ne dût pas être pour lui. Peut-être Catherine fut-elle seule à ne pas comprendre l'allusion.

Après le déjeuner, Henry partait pour Woodston, où ses occupations le retiendraient deux ou trois jours. Pour le voir monter à cheval, tous se rendirent dans le vestibule. De retour dans la salle du déjeuner, Catherine se mit à la fenêtre, avec l'espoir d'apercevoir encore le voyageur.

— Voilà une dure épreuve pour votre frère, Éléonore, dit le général. Woodston lui paraîtra triste aujourd'hui.

— Est-ce beau, Woodston ? demanda Catherine.

— Qu'en dites-vous, Éléonore ? Formulez votre opinion. Car, sur ces questions, les femmes sont aussi compétentes que les hommes. Je crois que l'œil le moins prévenu apprécierait comme il convient Woodston. La maison s'élève parmi de belles prairies exposées au sud-est ; un beau jardin potager y attient ; le mur qui enclôt le jardin, moi-même l'ai fait construire, il y a quelque dix ans, dans l'intérêt de mon fils. Woodston est un bénéfice ecclésiastique qui appartient à la famille. Je suis propriétaire des biens environnants, miss Morland, et, vous pouvez m'en croire, je ne les laisse pas tomber en friche. Ce ne sera pas une propriété d'un mauvais rapport. Henry n'eût-il d'autre revenu que celui de ce bénéfice, il ne serait pas mal loti. Peut-être semblera-t-il bizarre que moi, qui n'ai que trois enfants, je juge qu'une position lui soit nécessaire, et j'avoue qu'il est des moments où tous nous souhaiterions le voir dégagé de toute besogne ; mais votre père, miss Morland, serait d'accord avec moi pour penser qu'il est utile que les jeunes gens soient occupés, quel que puisse être à ce sujet l'avis des jeunes filles. Le but n'est pas de gagner de l'argent, mais d'occuper son activité. Mon fils aîné, Frédéric, qui héritera d'une des propriétés territoriales les plus vastes du comté, Frédéric lui-même a une profession.

Le silence des jeunes filles prouva que cet imposant argument était, comme s'y attendait le général, sans réplique.

Il avait été question, la veille, d'une visite de l'abbaye. Le général s'offrit pour cicerone, et, quoique Catherine eût préféré la conduite de la seule Éléonore, elle fut encore heureuse d'accepter cette proposition. Depuis dix-huit heures, elle était dans l'abbaye sans en avoir rien vu qu'un petit nombre de chambres. La boîte à ouvrage, qu'on venait d'ouvrir, fut refermée précipitamment : Catherine était prête.

« Quand on aurait parcouru la maison, le général se promettait le plaisir d'accompagner miss Morland dans les pépinières et le jardin. » Elle acquiesça d'une révérence.

« Au fait, peut-être lui serait-il plus agréable de voir d'abord le jardin et les pépinières ? Le temps était beau, mais, à cette époque de l'année, pouvait se gâter d'un moment à l'autre. Que préférait-elle ? Il se mettait entièrement à sa disposition. Quel était l'avis d'Éléonore ? Qu'est-ce qui flatterait le plus les désirs de la jolie invitée ? Il croyait pouvoir le deviner. Oui, certainement, il lisait dans les yeux de miss Morland un judicieux désir de voir, avant tout, les pépinières et le jardin. Du reste, l'avis de miss Morland n'était-il pas toujours judicieux ? Elle savait bien que les corridors de l'abbaye, par n'importe quel temps, seraient toujours assez secs. Il se ralliait aveuglément à son avis. Il allait prendre son chapeau et les rejoindrait. » Et sortit.

Catherine, et son visage exprimait du désappointement et de l'inquiétude, objecta qu'elle serait désolée que le général, avec la pensée, erronée, de lui plaire à elle, s'astreignît à parcourir le jardin et les pépinières, contre son gré à lui...

Elle fut interrompue par Mlle Tilney qui, un peu confuse :

— Je crois que le plus expédient serait de sortir pendant qu'il fait si beau. En ce qui concerne mon père, ne soyez pas inquiète : il sort toujours à cette heure-ci.

Catherine ne savait au juste à quoi s'en tenir. Pourquoi Mlle Tilney était-elle embarrassée ? Y avait-il donc chez le général quelque répugnance à montrer l'abbaye ? La proposition pourtant venait de lui. Et n'était-il pas étrange que toujours il se promenât si matin ? Ni son père ni M. Allen ne faisaient ainsi. Tout cela était bien contrariant. Elle était impatiente de voir la maison, point curieuse de visiter les pépinières et le jardin. Si, du moins, Henry avait été là... De ce qu'elle verrait, elle ne saurait même pas ce qui était pittoresque. Telles étaient ses pensées, mais elle les garda pour elle et mit son chapeau avec un mécontentement patient.

Quand, de la pelouse, elle vit pour la première fois l'abbaye d'ensemble, elle fut surprise de sa grandeur. Les bâtiments déterminaient une vaste cour rectangulaire. Deux des faces offraient à l'admiration la richesse d'un décor gothique. Le reste était caché par des bouquets d'arbres et un rideau de lierre. Les collines qui s'élevaient derrière la maison comme pour l'abriter étaient belles, même dans ce mois sans feuilles, mars. Catherine n'avait jamais rien vu de comparable, et son impression fut si vive qu'elle la formula, sans se référer à meilleure autorité, hardiment. Le militaire écoutait avec une gratitude extasiée, comme si sa propre opinion sur Northanger fût restée en suspens jusqu'à cette minute.

Par le parc, on arriva au jardin potager. Lui aussi, le jardin potager, sollicita des éloges. Le nombre d'acres en était tel que Catherine ne put l'entendre sans effroi. Il était plus de deux fois plus grand, ce jardin potager, que les propriétés de M. Allen et de M. Morland réunies, y ajoutât-on encore le cimetière et le verger. Le nombre des murs à espaliers et des murs d'abri était incalculable et leur longueur infinie. Une cité de serres était installée là. Des populations travaillaient dans l'enceinte. Le général fut satisfait des regards de surprise qui lui disaient, presque aussi clairement que les paroles dont il avait forcé l'émission, que jamais la visiteuse n'avait vu tel jardin. Modestement alors, il avoua que, « sans en tirer aucune vanité, il le croyait sans second dans le royaume. S'il avait une marotte, c'était celle-là : il aimait un jardin. Quoique assez indifférent à la table, il savait apprécier les bons fruits, et, sinon lui, ses enfants. C'était pourtant une servitude que la possession d'un pareil jardin. Les soins les plus attentifs ne préservaient pas toujours les fruits précieux. La serre à ananas n'avait produit que cent fruits l'année dernière. M. Allen, supposait-il, avait ces mêmes déboires ».

— Mais non. M. Allen ne s'occupe pas du jardin. Il n'y entre jamais.

Avec un sourire glorieux, le général souhaita pouvoir imiter M. Allen. Car jamais il n'entrait dans son jardin sans être contrarié de voir que, sur un point ou sur un autre, son plan n'était pas réalisé.

— Les serres à températures différentes, comment sont-elles organisées chez M. Allen ? demanda-t-il en expliquant le fonctionnement des siennes.

— M. Allen n'a qu'une petite serre, où Mme Allen relègue ses plantes l'hiver, et où on fait du feu de temps en temps.

— Quel homme enviable ! dit le général, et tout son être trahissait un joyeux dédain.

Promenée de serre en serre et jusque sous les réservoirs, Catherine, maintenant lasse de regarder et de s'étonner, n'avait plus qu'un désir : sortir des serres. Le général, désireux de constater l'effet de quelques changements récents à ses installations, convia les jeunes filles à le suivre encore : ce ne serait pas une corvée, si toutefois miss Morland n'était pas fatiguée.

— Mais où allez-vous donc, Éléonore ? Pourquoi choisir cet humide et obscur sentier ? Mlle Morland s'y enrhumera. Mieux vaut passer par les pelouses.

— C'est une de mes promenades favorites, ce sentier. Je suis donc tentée de le considérer comme le chemin le plus agréable et le plus court. Mais peut-être, en effet, y fait-il trop frais.

Le sentier sinuait à travers un petit bois touffu de vieux sapins d'Écosse. Séduite à son aspect ombreux, Catherine ne put se tenir d'y faire quelques pas. Une seconde fois, et sans succès, le général la menaça d'un rhume. Trop poli pour insister davantage, il s'excusa de ne pouvoir les accompagner. « Il les rejoindrait par une autre route : il ne dédaignait pas la joie du soleil, lui. » Il s'éloigna, et Catherine eut une surprise à constater de quel allégement lui était ce départ. Mais, plus allégée encore qu'étonnée, elle se mit à parler avec une gaieté tranquille de la mélancolie délicieuse qui émanait des choses.

— J'aime tout particulièrement ce coin du parc, dit sa compagne avec un soupir. C'était la retraite favorite de ma mère.

Jusque-là, Catherine n'avait jamais entendu ses nouveaux amis parler de Mme Tilney. À cette évocation de la morte, elle eut une attitude de silence attentif qui était pour Mlle Tilney une invitation à parler encore.

— Je me suis promenée si souvent ici avec elle, ajouta Éléonore. Alors je n'aimais pas ce chemin comme je l'ai aimé depuis. Le souvenir me l'a rendu cher.

« Et ce souvenir ne devrait-il pas le rendre cher au mari ? songea Catherine. Cependant il ne voulait pas pénétrer dans le sentier. » Mlle Tilney continuant à marcher silencieuse, Catherine hasarda :

— Sa mort a dû vous causer un grand chagrin…

— Un grand chagrin et qui s'accroît toujours, répondit Éléonore d'une voix sans timbre. J'avais alors treize ans. Je souffris autant qu'on peut souffrir à cet âge. Pourtant, je ne sus pas, je ne pouvais savoir quelle perte je faisais… (Après un silence :) Je n'ai pas de sœur, vous le savez, et, quoique Henry, quoique mes frères soient très affectueux, et que Henry soit fréquemment ici, il m'est souvent impossible de n'être pas triste.

« Avait-elle beaucoup de charme ? était-elle belle ? y avait-il un portrait d'elle à l'abbaye ? et pourquoi sa prédilection pour ce sentier ? était-elle donc mélancolique ? » furent les questions précipitées de Catherine.

Les trois premières reçurent une réponse affirmative. Les deux autres restèrent sans réponse. L'intérêt de Catherine pour la feue Mme Tilney croissait à chaque question, qu'on y répondît ou qu'on n'y répondit pas. Elle avait été malheureuse, Catherine en était sûre. Le général certainement avait été un désagréable mari. Il n'aimait pas la promenade favorite de sa femme. Pouvait-il, dès lors, l'avoir aimée, elle ? Du reste, il y avait dans ses traits, malgré leur beauté, quelque chose qui disait qu'il n'avait pas été bon pour elle.

— Je suppose que le portrait (et l'art consommé de sa question la faisait rougir) est dans la chambre de votre père…

— Non, il était destiné au salon : mais mon père était mécontent de l'œuvre du peintre, et l'on ne se pressa pas de l'accrocher. Peu après la mort de ma mère, j'obtins qu'il me fût donné. Il est maintenant dans ma chambre ; je serai heureuse de vous le montrer : il est très ressemblant.

Argument nouveau : un mari ne pas attacher d'importance au portrait, très ressemblant, d'une épouse qui n'est plus ! Il avait dû être pour elle atrocement barbare...

Catherine n'essaya plus de se dissimuler la nature des sentiments que lui inspirait le général. Ce qui d'abord n'avait été que prévention instinctive était devenu de l'aversion. Oui, de l'aversion ! Tant de cruauté envers une femme si charmante rendait cet homme odieux. Dans les livres, elle avait souvent rencontré des caractères de cette sorte, de ces caractères que M. Allen disait excessifs et invraisemblables – à tort : elle en avait la preuve maintenant.

Telles étaient les conclusions auxquelles Catherine venait d'aboutir, quand, à l'extrémité du sentier, les jeunes filles rejoignirent le général. En dépit de sa vertueuse indignation, elle fut obligée de marcher près de lui, de l'écouter et même de sourire quand il souriait. Inapte désormais à prendre plaisir à nul spectacle, elle marchait d'un pas languissant. Le général s'en aperçut. Plein d'une sollicitude qui semblait un reproche à l'opinion qu'elle avait de lui, il l'engagea à rentrer à la maison avec Éléonore ; il les rejoindrait dans un quart d'heure.

Comme elles s'éloignaient déjà, il rappela sa fille qui reçut l'ordre formel de ne pas commencer sans lui la visite de l'abbaye. Cette nouvelle marque du souci qu'il avait de différer le plus possible une exploration, si désirée d'autre part, impressionna profondément Catherine.

XXIII

Une heure s'écoula avant le retour du général. « Cette absence prolongée, ces promenades solitaires n'annonçaient pas un esprit en repos ni une conscience pure. » Il parut. Si mélancoliques qu'eussent été ses méditations, il eut la force de sourire. Mlle Tilney, qui comprenait le désir qu'avait son amie de visiter Northanger, manœuvra en conséquence. Enfin le général fut prêt à les accompagner, manquant sans doute d'un prétexte nouveau pour retarder encore l'expédition. Tout au plus sollicita-t-il, au dernier moment, un délai de cinq minutes – le temps d'ordonner qu'on préparât des rafraîchissements pour le retour.

Ils se mirent en route. D'une allure noble, qui frappa Catherine sans ébranler ses livresques soupçons, il les mena, par le vestibule, le salon et une antichambre désaffectée, dans une pièce dont étaient magnifiques les dimensions et les meubles. C'était le salon des grands jours, celui où l'on recevait les hôtes de marque. Qu'il fût très imposant, très vaste, très beau, était tout ce que Catherine trouvait à dire. La louange en sa particularité, la louange vraiment significative fut tout entière le fait du général. Catherine, la somptuosité ou l'élégance de nulle chambre ne lui importait : elle n'avait cure d'aucun mobilier qui fût d'une époque plus moderne que le XVe siècle. Le général ayant enfin satisfait sa propre curiosité à l'examen méticuleux des moindres choses, qu'il connaissait si bien, on se rendit dans la bibliothèque. Elle était, par ses livres, d'une opulence égale à celle du salon. Catherine écouta, admira, s'étonna plus sincèrement, et des connaissances accumulées là cueillit le plus qu'elle put, à parcourir les titres d'un demi-rayon de volumes. Le reste des appartements ne répondit pas à son désir. Et quand on lui dit que les six ou sept pièces qu'elle venait de visiter constituaient trois des côtés de la cour, elle eut peine à vaincre le soupçon qu'on lui eût caché l'existence de salles secrètes. Du moins, pour regagner les chambres d'usage quotidien, passa-t-on par une enfilade de petites pièces et par des couloirs qui mettaient en communication les différents points de la demeure. À ses yeux, le voyage alors se décora de quelque lustre. Elle traversait ce qui avait été le cloître. On lui fit constater les vestiges de cellules. Elle-même remarqua plusieurs portes qui lui restèrent closes et dont le rôle ne lui fut pas dit. Elle se trouva successivement dans une salle de billard et dans l'appartement privé du général, sans comprendre leur connexion et sans pouvoir S'orienter. Enfin elle passa par un réduit bien sombre dépendant des possessions de Henry et où gisaient en fouillis livres, armes et manteaux.

Comme, avant de pénétrer dans la cuisine, on traversait la salle à manger, le général ne put se priver du plaisir de mesurer de ses propres pas la longueur de la pièce (vue déjà et que l'on devait revoir tous les jours à cinq heures), afin que Catherine constatât l'exactitude du renseignement qu'il lui avait donné. La cuisine – l'ancienne cuisine du couvent – recélait dans ses murs massifs et saurs tout un attirail moderne de fourneaux. Là s'était exaltée l'ardeur novatrice du général : tous les appareils qui facilitent l'œuvre des cuisiniers y avaient trouvé place, et, quand l'industrie des inventeurs avait failli, la sienne s'était révélée en triomphe. À eux seuls, les perfectionnements dont il avait doté ces lieux l'eussent mis très haut parmi les bienfaiteurs de l'abbaye. Catherine avait vu maintenant tout ce qui subsistait d'ancien à Northanger. Le quatrième côté de la cour avait, à cause de sa décrépitude, été démoli par le père du général, et, sur son emplacement, on avait réédifié. La construction neuve ne se contentait pas d'être neuve : elle se proclamait naïvement telle. Consacrée uniquement aux communs, il n'avait pas paru que le style du reste des bâtiments lui fût indispensable. Qu'on eût détruit la partie la plus précieuse évidemment de l'abbaye et dans un misérable but utilitaire, Catherine en eût crié. Elle eût voulu éviter la honte de visiter si solennellement une scène si déchue. Mais s'il était une chose dont le général tirât vanité, c'était l'aménagement de ses communs. Ses communs, il ne s'excuserait pas de l'y conduire, sachant qu'elle serait touchée de voir combien était rendu facile le labeur des gens qui la servaient. Catherine fut surprise de la multiplicité des salles et de leur commodité. Tels travaux qui s'exécutaient, à Fullerton, dans des officines mal agencées et un étroit lavoir avaient ici pour théâtre des locaux spécialisés et spacieux. Le nombre des domestiques, il en paraissait sans cesse de nouveaux, ne l'étonna pas moins. À chaque instant, une fille en patins s'arrêtait pour faire une révérence, quelque valet de pied en petite tenue s'escampait. Pourtant on était dans une abbaye ! Mais combien différente en son fonctionnement de celles dont lui avaient parlé les livres : abbayes et châteaux plus vastes certainement que Northanger et où les basses besognes étaient faites par deux paires de mains féminines ! Comment si peu de mains parvenaient à faire tout l'ouvrage, cela avait souvent étonné Mme Allen. À voir quel concours de monde on employait ici, Catherine sentit naître le même étonnement.

On regagna le vestibule : il importait, en effet, de monter par l'escalier d'honneur et d'admirer les sculptures de sa rampe. En haut, on suivit la galerie, mais à l'opposite de la chambre de Catherine, pour s'engager dans une autre galerie plus large et plus longue. Furent inspectées trois vastes chambres à coucher avec leurs cabinets de toilette. Meublées ou aménagées depuis moins de cinq ans, ces pièces se paraient d'un luxe qui devait plaire à tout le monde, à Catherine non pas. Comme la visite touchait à sa fin, le général, après avoir cité négligemment quelques personnages de distinction qui avaient honoré de leur présence les dits appartements, se tourna, souriant, vers Catherine et se hasarda à espérer que parmi les premiers hôtes de ces lieux pussent figurer « nos amis de Fullerton ». Elle fut touchée de ce souhait inattendu, et regretta cette impossibilité où elle était d'avoir bonne opinion d'un homme si bienveillant pour elle et si plein d'amabilité pour sa famille.

La galerie se terminait sur une porte à deux battants que Mlle Tilney, forçant un peu le pas, avait déjà ouverte et franchie. Elle était sur le point d'ouvrir une porte à gauche, dans le couloir qui s'allongeait devant eux, quand le général la rappela vivement, et, avec une certaine colère, crut remarquer Catherine, lui demanda où elle allait. « Qu'y avait-il à voir encore ? Miss Morland n'avait-elle pas vu tout ce qui était digne de son attention ? Éléonore ne jugeait-elle pas son amie assez fatiguée ? » Mlle Tilney rebroussa chemin. Les lourds vantaux se refermèrent devant Catherine mortifiée. Mais elle avait aperçu, d'un coup d'œil rapide, un passage plus étroit et l'amorce d'un escalier tortueux. Enfin, elle était sur la voie de quelque chose qui méritât son attention ! Combien n'eût-elle pas préféré, et elle revenait tristement sur ses pas, explorer cette région que d'être admise à contempler les somptuosités du reste de la demeure ! Le souci qu'avait manifesté le général d'empêcher cette exploration était un stimulant à sa curiosité. Son imagination avait pu l'égarer une fois ou deux, mais elle ne l'égarait pas, cette fois : il y avait quelque chose à cacher. Ce qu'était cette chose, une courte phrase de Mlle Tilney, tandis que les jeunes filles descendaient l'escalier derrière le général, sembla le préciser :

— J'allais vous conduire dans la chambre de ma mère, la chambre où elle mourut.

Pour laconiques que fussent ces paroles, elles étaient révélatrices. Le soin avec lequel le général fuyait cette chambre s'expliquait – une chambre dans laquelle, selon toute probabilité, il n'était pas entré depuis la scène terrible qui délivra sa pitoyable femme.

Seule avec Éléonore, elle se hasarda à exprimer son désir d'être autorisée à voir et cette chambre et ses alentours. Éléonore lui promit de l'accompagner, au premier moment favorable. Catherine comprit. Il fallait attendre que le général fût absent.

— Elle est restée, je pense, dans l'état où elle était alors ? dit avec sentiment Catherine.

— Oui, absolument.

— Et depuis combien de temps votre mère est-elle morte ?

— Neuf ans.

— Vous êtes restée auprès d'elle, je suppose, jusqu'à la fin…

— Non, dit Mlle Tilney avec un soupir ; j'étais malheureusement absente. La maladie fut soudaine et courte. Avant mon retour, tout était fini.

Le sang de Catherine se figea aux horribles suggestions qui naissaient naturellement de ces mots. Était-ce possible ? Le père de Henry pouvait-il… ? Cependant les preuves abondaient, corroborant les plus noirs soupçons. Et le soir, tandis qu'elle travaillait avec son amie, elle vit le général arpenter lentement le salon, une heure durant, les yeux baissés, les sourcils froncés. C'était bien l'attitude d'un Montoni. Sans doute il n'avait pas encore dépouillé tout sentiment humain, et il méditait amèrement au ressouvenir du crime. Malheureux homme ! Sous l'empire de ces spéculations, l'anxieuse Catherine leva si souvent les yeux vers lui, que Mlle Tilney s'en aperçut :

— Mon père, dit-elle à mi-voix, souvent se promène ainsi de long en large.

« Tant pis ! » pensa tristement Catherine, à constater de quel mauvais augure était cette concordance entre un exercice si hors de propos et les inopportunes promenades du matin.

Après une soirée dont la monotonie et la longueur lui rendirent particulièrement sensible l'absence de Henry, elle fut heureuse d'être délivrée. Sur un signe du général, Éléonore sonna. Le valet de chambre voulait allumer la lampe de son maître. Mais le général ne se retirait pas encore.

— J'ai à lire plusieurs brochures, dit-il à Catherine, avant d'avoir le droit de me coucher. Peut-être mes yeux resteront-ils fixés sur les affaires du pays bien des heures encore après que vous vous serez endormie. Chacun ne sera-t-il pas dans son rôle ? Mes yeux s'abîmeront pour le bonheur d'autrui ; pour son malheur, les vôtres rénoveront dans le sommeil leur vertu.

Mais ce compliment magnifique n'empêcha pas Catherine de penser qu'une cause très différente de la cause alléguée décidait le général à surseoir au sommeil. Veiller plusieurs heures après que tout le monde serait couché, et sous le prétexte de vaines brochures à lire, n'était pas très vraisemblable. Il devait y avoir à cela une cause plus profonde : quelque chose à faire qui ne pouvait être fait qu'à la faveur du sommeil unanime. Peut-être Mme Tilney vivait-elle encore, peut-être recevait-elle nuitamment une nourriture grossière des dures mains de son maître. Si choquante que fût cette idée, croire à un trépas délibérément hâté était plus affreux encore. Cette maladie subite, l'absence d'Éléonore et, sans doute, des autres enfants, tout favorisait l'hypothèse d'un emprisonnement. Le motif ? – la jalousie peut-être, ou une gratuite cruauté : cela était à élucider.

Tandis qu'elle ressassait en son esprit ces choses et se déshabillait, elle songea soudain qu'il était bien possible qu'elle eût, le matin même, passé près du lieu où cette femme infortunée était retenue prisonnière, passé à quelques pas de la cellule où la captive languissait ses jours. Quelle partie de l'abbaye était plus idoine à ces fins que celle où subsistaient les vestiges monastiques ? Dans le corridor dallé et haut voûté où elle avait éprouvé comme une douleur, il était des portes, elle s'en souvenait, dont le général ne lui avait point donné l'explication. Sur quoi ces portes étaient-elles closes ? La galerie interdite où étaient les appartements de l'infortunée Mme Tilney devait être, si Catherine s'orientait bien, exactement au-dessus de cette rangée de cellules suspectes, et l'escalier qu'elle avait entrevu et qui devait communiquer secrètement avec ces cellules avait pu faciliter l'œuvre barbare du général. Peut-être par cet escalier avait-on descendu la victime savamment insensibilisée…

Catherine s'effrayait, par moments, de l'audace de ses conjectures, craignait ou espérait avoir été trop loin. Mais ne s'appuyaient-elles pas sur des indices qui les authentiquaient ?

Le côté de la cour où elle supposait qu'avait dû se passer la scène du crime étant en face de celui qu'elle habitait, elle pensa qu'en faisant le guet elle pourrait apercevoir la lueur de la lampe du général à travers les fenêtres inférieures, alors qu'il se dirigerait vers la geôle de sa femme. Par deux fois, avant de se mettre au lit, elle se glissa, furtive, hors de la chambre vers une fenêtre de la galerie. Mais autour d'elle tout était obscur. Il était trop tôt : divers bruits qui montaient la convainquirent que les domestiques étaient encore debout. Elle supposa que jusqu'à minuit il était inutile de rester en alerte. Mais à ce moment-là, quand l'horloge aurait sonné douze heures et que tout serait silencieux, si elle n'était pas déconcertée par l'obscurité de la nuit, elle sortirait à pas de loup et regarderait. L'horloge sonna minuit. Catherine dormait depuis une demi-heure.

XXIV

Aucune occasion de visiter les appartements mystérieux ne s'offrit le lendemain. C'était un dimanche. Tout le temps qui s'écoula entre l'office du matin et celui de l'après-midi fut consacré, selon la volonté du général, à prendre de l'exercice au dehors et à manger des viandes froides à la maison. Or Catherine, dont le courage n'égalait pas la curiosité, ne se souciait pas d'une exploration à la lumière périssante du soleil de sept heures ou à la clarté, plus forte, mais circonscrite, d'une perfide lampe. Et rien, ce jour-là ne frappa son imagination, sauf, à l'église, un monument érigé à la mémoire de Mme Tilney, en face du banc de la famille. Son regard s'y arrêta longtemps. La lecture de l'emphatique épitaphe, où toutes les vertus étaient attribuées à la morte par cet inconsolable mari qui pourtant avait dû être son bourreau, affecta Catherine aux larmes.

Que le général, capable d'avoir élevé ce tombeau, osât l'affronter, cela n'était peut-être pas bien étrange. Mais qu'il pût s'asseoir, avec un calme si audacieux, à proximité de ce tombeau, conserver cette noble sérénité, regarder sans crainte l'assistance – non, même qu'il entrât dans l'église, n'était-ce pas stupéfiant ? Mais que d'individus endurcis au crime pouvait-on citer ! Elle en savait par douzaines qui s'étaient complu dans les vices les plus divers, ajoutant sans remords le crime au crime, jusqu'à ce qu'un trépas sanglant ou le cloître interrompît leur destin. Même la réalité du monument ne persuadait pas Catherine de la mort de Mme Tilney. Descendît-elle dans le caveau où les cendres, croyait-on, reposaient, contemplât-elle le cercueil où elles étaient prétendument closes, cela prouverait-il rien ? Elle avait assez lu pour savoir qu'une figure de cire est docile à jouer un rôle et qu'une inhumation est souvent illusoire.

Le jour suivant serait plus fertile. La promenade matinale de M. Tilney, si inopportune en soi, allait donner plus de liberté aux jeunes filles. Catherine, dès qu'elle le sut parti, rappela à Mlle Tilney leur projet de l'avant-veille. Éléonore était prête. La première visite fut pour le portrait de Mme Tilney dans la chambre d'Éléonore. C'était, réalisant les prévisions de Catherine, l'effigie d'une jolie femme au visage doux et pensif. Mais elle aurait cru que ce portrait restituât les traits, le teint, l'air même, sinon de Henry, d'Éléonore. Une ressemblance absolue entre la mère et l'enfant n'était-elle pas de rigueur dans les histoires tragiques ? Un masque une fois moulé était moulé pour des générations. Et voilà qu'ici elle était obligée d'étudier laborieusement l'image pour discerner une analogie indécise ! Malgré ce mécompte, elle ressentait une émotion profonde, et c'est à regret qu'elle eût quitté la place, si son âme n'eût été dominée par un intérêt plus puissant.

Quittant la chambre, les jeunes filles s'engagèrent dans la grande galerie. Catherine, trop agitée pour parler, regardait sa compagne. Éléonore était mélancolique et pourtant calme : évidemment aguerrie aux tristes choses vers lesquelles elles allaient. Derechef, la porte à double battant fut franchie, et Éléonore s'apprêtait à ouvrir la chambre mortuaire, tandis que Catherine se retournait pour fermer, par précaution, la première porte, quand, à l'autre extrémité du couloir, surgit le général lui-même.

— Éléonore !

L'édifice résonna de cet appel. Instinctivement, Catherine terrorisée essaya de se dissimuler. Quand son amie, qui, d'un regard, s'était excusée, eut rejoint le général et eut disparu avec lui, Catherine courut se réfugier dans sa chambre, où elle s'enferma à clef. Elle y resta au moins une heure, en grand émoi, s'apitoyant sur sa pauvre amie. Elle s'attendait elle-même à recevoir, d'un moment à l'autre, sommation de se rendre dans les appartements particuliers du général. Aucune sommation ne lui fut adressée. Enfin, voyant un équipage se diriger vers l'abbaye, elle s'enhardit à descendre, afin de ne se retrouver en face de M. Tilney que sous la protection des visiteurs.

La salle du déjeuner s'égayait déjà des nouveaux venus. Le général leur présenta Catherine comme une amie de sa fille, et son ton paterne palliait si bien son courroux intérieur qu'elle se sentit en sûreté, au moins provisoirement. Éléonore, se composant une attitude, en fille soucieuse de la réputation familiale, profita de la première occasion pour dire :

— Mon père voulait simplement me faire répondre à une lettre.

Catherine commençait à croire qu'elle n'avait pas été vue par le général ou encore que, par politique, on lui laisserait supposer qu'il en était ainsi. Elle osa donc rester en sa présence après le départ des visiteurs, et nul incident ne survint.

Elle fut amenée par ses réflexions à décider qu'elle forcerait seule la région interdite. À tous points de vue, mieux valait qu'Éléonore restât neutre. L'exposer au danger d'être découverte une seconde fois, l'entraîner dans une exploration douloureuse à son cœur n'était pas le fait d'une amie. L'ire du général frapperait moins rudement une étrangère qu'une fille. Et, opérée par elle seule, une perquisition serait plus féconde. On ne pouvait communiquer à Éléonore des soupçons dont, vraisemblablement, elle était sauve. Pour cette raison, il était difficile en sa compagnie de chercher avec système les preuves des méfaits du général, ces preuves qui, sans doute, apparaîtraient sous la forme de quelque journal interrompu par la mort. Elle connaissait maintenant le chemin, et, si elle voulait avoir fini avant le retour, prévu pour le lendemain, de Henry, il n'y avait pas de temps à perdre. Quatre heures. Le soleil resterait encore deux heures sur l'horizon. En partant maintenant, elle n'avançait que d'une demi-heure le moment où d'habitude elle se retirait pour sa toilette.

Ainsi fut. Catherine était dans la galerie que les coups sonnaient encore. Le moment des réflexions était passé. Elle se faufila silencieusement entre les battants de la grande porte et, sans s'attarder à rien, arriva devant la porte fatale, l'ouvrit, et fit un pas, craintive. Des minutes passèrent avant qu'elle pût en faire un second. Elle voyait, dans une vaste chambre bien nette, un lit tout paré, un luisant poêle de Bath, des armoires en acajou, etc. ; les doux rayons d'un soleil couchant entraient par deux larges fenêtres à coulisses et folâtraient sur les meubles. Cette chambre si gaie, et que l'imagination de Catherine s'était représentée lugubre et très antique, était située dans les bâtiments construits par le père du général. Deux portes donnaient accès, sans doute, dans des cabinets de toilette ou de débarras. Elle n'eut aucune envie de les ouvrir. Elle était dégoûtée des explorations et ne souhaitait rien tant que se trouver dans sa chambre, avec son cœur, seul confident de sa folie. Elle se disposait à faire une retraite aussi silencieuse que son entrée, quand, à un bruit de pas, venus d'où ? elle s'arrêta, tremblante. Être découverte là, fût-ce par un domestique, serait fâcheux ; mais par le général, qui se dressait toujours devant vous aux moments les plus inopportuns, serait pis. Elle écouta. Le bruit avait cessé. Résolue à ne pas perdre une minute, elle sortit et ferma la porte. Au même moment, une porte, à l'étage inférieur, fut ouverte. Quelqu'un montait rapidement l'escalier devant lequel Catherine devait passer pour gagner la galerie. Incapable d'aucun mouvement, elle se tenait là anxieuse. Henry apparut.

— Monsieur Tilney ! s'écria-t-elle, stupéfaite.

Lui-même semblait étonné.

— Bon Dieu ! continua-t-elle, comment êtes-vous arrivé ici ? comment avez-vous pu prendre cet escalier ?

— Comment j'ai pu prendre cet escalier ? répondit-il grandement surpris. Parce que c'est le chemin le plus direct de la cour de l'écurie à ma chambre. Et pourquoi ne monterais-je pas cet escalier ?

Catherine se ressaisit, rougit très fort et ne put rien répondre. Lui semblait chercher sur les traits de Catherine l'explication qu'elle taisait. Elle se dirigea vers la galerie.

— Ne puis-je, à mon tour, dit-il, comme il refermait la porte de la galerie, vous demander pourquoi vous êtes venue de ce côté ? Ce couloir était un chemin au moins aussi extraordinaire pour aller de la salle à manger à votre chambre que l'escalier peut l'être pour aller à ma chambre, venant des écuries.

Catherine, baissant les yeux, dit :

— Je suis allée voir la chambre de votre mère.

— La chambre de ma mère ! Y a-t-il donc quelque chose de si curieux à y voir ?

— Non, rien… Je croyais que vous vous proposiez de ne revenir que demain.

— Quand je suis parti de Northanger, je ne croyais pas pouvoir rentrer si tôt. Mais, il y a trois heures, j'ai eu le plaisir de reconnaître que rien ne me retenait plus à Woodston... Vous êtes pâle. Je crains de vous avoir effrayée en montant si rapidement l'escalier. Peut-être ne vous doutiez-vous pas qu'il conduisît aux communs.

— Non, je ne le savais pas... Vous avez eu beau temps pour revenir à cheval.

— Très beau... Éléonore vous laisse donc chercher votre chemin toute seule à travers la maison ?

— Non. Elle a visité la plus grande partie de l'abbaye avec moi, samedi. Mais nous ne sommes venues vers ces chambres-là qu'une fois. (Baissant la voix :) Votre père était avec nous.

— Et cela vous gêna dans votre visite ? dit Henry, la regardant avec insistance. Avez-vous visité toutes les chambres qui donnent sur le couloir ?

— Non. Et je ne désirais voir que... N'est-il pas bien tard ? Il faut que j'aille m'habiller.

— Il n'est pas plus de quatre heures et quart, dit-il, consultant sa montre, et vous n'êtes pas à Bath. Point de théâtre ou de Rooms pour quoi vous ayez à vous mettre en toilette. À Northanger, une demi-heure vous suffira.

Elle n'avait rien à objecter : elle dut souffrir qu'il la retînt, encore qu'en terreur de questions nouvelles elle désirât, pour la première fois, lui fausser compagnie. Ils s'avançaient dans la galerie avec lenteur.

— Avez-vous reçu une lettre de Bath ?

— Non, et j'en suis fort surprise. Isabelle m'avait si fidèlement promis de m'écrire tout de suite.

— Si fidèlement promis ! Que voilà donc un art fâcheux, celui de promettre si fidèlement, puisque tant de peine en résulte pour vous !... La chambre de ma mère est très agréable, n'est-ce pas ? Vaste et gaie, et ses dépendances sont si bien aménagées... Ce m'a toujours paru l'appartement le plus confortable de la maison, et je m'étonne qu'Éléonore ne le prenne pas pour elle. C'est elle qui vous y a envoyée, je suppose...

— Non.

— Vous y avez été de votre propre mouvement ?

Catherine ne répondait pas. Il l'observa, puis, après un moment de silence :

— Comme il n'y a dans cette chambre rien de spécial, votre curiosité résulte sans doute d'un sentiment de piété envers le caractère de ma mère que vous aura dépeint Éléonore. Je crois qu'il n'y eut jamais femme meilleure. Mais voilà une de ces considérations qui, d'ordinaire, ne suscitent pas un tel intérêt. Les simples mérites domestiques de quelqu'un qu'on n'a pas connu éveillent rarement la tendresse fervente que suppose une visite telle que la vôtre. Éléonore vous a beaucoup parlé de ma mère ?

— Oui, beaucoup. C'est-à-dire… non, pas beaucoup. Mais ce qu'elle m'a dit était si émouvant ! Sa mort subite… (Avec hésitation :) Aucun de vous n'était à la maison… Et peut-être votre père ne l'aimait-il pas ?…

— Et de ces circonstances répliqua-t-il, les yeux fixés sur elle, vous déduisez peut-être la possibilité de quelque négligence… quelque… (elle eut un geste de dénégation) ou peut-être de quelque chose de moins pardonnable.

Elle ouvrit de plus larges yeux.

— Dans la maladie de ma mère, continua-t-il, la crise qui amena la mort fut soudaine. La maladie elle-même était constitutionnelle : une fièvre bilieuse, dont elle avait beaucoup souffert. Bref, dès qu'elle y consentit, un médecin fut appelé – c'était le troisième jour – un très savant homme et en qui elle avait toute confiance. Il la jugea dangereusement atteinte. Sur sa demande, deux autres médecins furent appelés en consultation, le lendemain. Les médecins ne la quittèrent presque pas de vingt-quatre heures.

Le cinquième jour, elle mourut. Pendant sa maladie, Frédéric et moi – nous étions tous deux à la maison – la vîmes constamment. Elle fut entourée des soins les plus attentifs et les plus affectueux. La pauvre Éléonore était absente, et trop loin pour qu'elle pût revenir à temps. Elle trouva notre mère au cercueil.

— Mais votre père, lui, eut-il beaucoup de peine ?

— Pendant quelque temps, beaucoup. Vous vous êtes trompée en vous imaginant qu'il ne l'aimait pas. Il l'aimait, je le sais, autant qu'il… Nous n'avons pas tous, voyez-vous, la même faculté de tendresse… Je ne prétends pas que, pendant sa vie, elle n'ait rien eu à supporter. Mais, si mon père, par ses sautes de caractère, la fit souffrir quelquefois, du moins sut-il toujours lui rendre justice. Sa douleur, que le temps a pu cicatriser, fut violente et sincère.

— J'en suis bien heureuse, dit Catherine. C'eût été horrible…

— Si je vous comprends bien, vous aviez conçu des soupçons si affreux que je trouve à peine des mots pour… Chère, chère miss Morland, qu'aviez-vous donc en tête ? À quelle époque et dans quel pays croyez-vous donc vivre ? Songez que nous sommes des Anglais, que nous sommes des chrétiens. Consultez votre raison, votre expérience personnelle. Notre éducation nous prépare-t-elle à de pareilles atrocités ? Ne seraient-elles pas connues bientôt, en ce pays de routes et de gazettes ? Et les lois resteraient-elles inertes ? Ma chère miss Morland, quelles idées avez-vous eues !

Ils étaient maintenant au bout de la galerie. Avec des larmes de honte, Catherine courut vers sa chambre.

XXV

C'en était fait des visions romanesques. Les paroles de Henry avaient été plus efficaces pour dessiller Catherine que tant de déceptions successives. Elle se sentait très humble. Elle pleura. Non seulement elle était déchue à ses yeux, mais à ceux de Henry. N'allait-il pas la mépriser, lui qui connaissait tout entière sa folie presque criminelle ? Ce qu'elle avait osé imaginer, l'oublierait-il jamais ? Oublierait-il jamais tant de sottise et d'indiscrétion ? Elle se haïssait. Il avait, elle croyait qu'il avait témoigné, une ou deux fois, quelque affection pour elle, avant cette journée fatale. Mais maintenant... Après s'être bourrelée pendant une demi-heure, et comme cinq heures sonnaient, elle descendit, le cœur défaillant. Elle put à peine répondre à Éléonore qui lui demandait si elle était souffrante. Le redoutable Henry parut bientôt. Rien n'était changé dans ses façons, sauf qu'il eut peut-être pour Catherine plus de prévenances encore qu'à l'ordinaire. Jamais elle n'avait eu plus grand besoin de réconfort, et on eût dit qu'il s'en rendait compte.

Peu à peu l'esprit de Catherine se haussa à une modeste tranquillité. Elle n'essayait pas de chasser le souvenir de ses fautes, ni de les atténuer en sa conscience, mais elle se prit à espérer que Henry garderait pour elle un peu d'estime et que nul autre ne saurait rien. Elle voyait bien maintenant qu'elle était arrivée à Northanger trop encline à dramatiser les moindres faits. Si passionnantes que fussent les œuvres de Mme Radcliffe ou de ses imitateurs, peut-être n'était-ce pas à travers cette littérature qu'il fallait juger la nature humaine, telle du moins qu'elle se manifestait dans les comtés du centre de l'Angleterre. Peut-être ces romans donnaient-ils une image exacte des Alpes et des Pyrénées, avec leurs forêts de pins et leurs vices, et peut-être l'Italie, la Suisse, la France méridionale étaient-elles aussi fécondes en horreurs dans la réalité que dans les livres. Catherine était tranquille sur le compte de son propre pays ; et pourtant, si on l'avait pressée, elle eût sacrifié de ce même pays les extrémités nord et ouest. Mais, au centre de l'Angleterre, le meurtre n'était pas toléré, les serviteurs n'étaient pas des esclaves, et on ne se procurait pas un poison ou un narcotique chez le droguiste, comme de la rhubarbe. Dans les Pyrénées et les Alpes, peut-être n'y avait-il que des caractères tout d'une pièce : là, qui n'était pas un ange était un démon. Mais en Angleterre... ! Chez les Anglais, il y avait un mélange de qualités et de défauts. En conséquence, elle n'aurait pas de surprise si plus tard elle découvrait, chez Henry et Éléonore mêmes, de légères imperfections ; elle pouvait donc s'enhardir à reconnaître tout de suite quelques taches dans le caractère de leur père : le général était libéré des injurieux soupçons dont maintenant elle rougissait ; mais, tout considéré, elle croyait bien qu'il n'était pas parfait.

Son opinion établie sur ces divers points et sa résolution prise de juger et d'agir désormais de la façon la plus circonspecte, elle n'avait plus qu'à s'absoudre et à être heureuse. L'étonnante générosité de Henry – jamais la moindre allusion à ce qui s'était passé – lui fut d'un puissant secours.

Les inquiétudes de la vie ordinaire succédèrent bientôt aux alarmes romanesques. De jour en jour allait croissant le désir d'avoir des nouvelles d'Isabelle. Que devenait le monde de Bath ? Y avait-il toujours foule aux Rooms ? Deux questions surtout la préoccupaient : Isabelle était-elle enfin parvenue à réassortir certain coton à tricoter... ? était-elle toujours dans les meilleurs termes avec James ? De la seule Isabelle, Catherine attendait des lettres, Mme Allen et James ayant déclaré qu'ils n'écriraient pas avant leur retour à Fullerton et à Oxford. Mais Isabelle avait promis, et promis encore, et, quand elle avait promis une chose, elle tenait parole, ce qui rendait particulièrement étrange son silence.

Neuf jours, Catherine s'étonna de la répétition de son désappointement, chaque jour plus cruel. Le dixième, comme elle entrait dans la salle à manger, Henry lui tendit une lettre. Elle la reçut avec joie. Puis, regardant la suscription

— Ce n'est que de James.

La lettre venait d'Oxford.

« Chère Catherine,

Dieu sait si j'ai peu envie d'écrire. Cependant il faut bien que je vous dise que tout est fini entre Mlle Thorpe et moi. Je l'ai quittée hier, et Bath, pour ne plus les revoir jamais. Des détails ne feraient que vous attrister davantage. Bientôt vous serez assez renseignée d'autre part, pour savoir de quel côté sont les torts, et, je l'espère, vous absoudrez votre frère de tout, sauf de cette folie qu'il eut de croire son affection partagée. Dieu soit loué ! Je suis désabusé avant qu'il soit trop tard. Mais quel rude coup ! Et mon père qui avait accordé de si bon cœur son consentement… N'en parlons plus. Elle m'a rendu malheureux pour toujours. Écrivez-moi, chère

Catherine ; vous êtes ma seule amie. De votre affection à vous, je suis sûr. Je souhaite que vous ayez quitté Northanger avant qu'il y soit question des fiançailles du capitaine Tilney : vous vous trouveriez dans une situation difficile. Le pauvre Thorpe est à Londres. Je redoute de le revoir. Il sera si peiné en son honnête cœur. Je lui ai écrit et j'ai écrit à mon père... La duplicité de Mlle Thorpe me fait souffrir plus que tout. Jusqu'au dernier moment, quand je lui disais mes appréhensions, elle riait, déclarant que ses sentiments n'avaient pas varié. J'ai honte d'avoir été dupe si longtemps. Mais si jamais un homme eut quelque raison de se croire aimé, c'était moi. Je ne puis comprendre, même maintenant, quel était son but. Il n'était pas nécessaire que, pour s'assurer Tilney, elle se jouât de moi. Il eût été heureux pour moi que nous ne nous fussions jamais vus. Je ne rencontrerai plus une femme comme Isabelle. Ma chère Catherine, ne donnez pas votre cœur imprudemment.

« Croyez-moi, etc. »

Elle n'avait pas lu trois lignes que son brusque changement d'expression, ses brèves exclamations de pénible étonnement témoignaient qu'elle recevait de peu agréables nouvelles. Henry, qui regardait Catherine, constata que la lettre ne finissait pas mieux qu'elle ne débutait. Mais il fut empêché de montrer même de la surprise : son père entrait. On alla déjeuner. Catherine ne mangea guère. Des larmes lui voilaient les yeux, roulaient même sur ses joues. La lettre était tantôt dans sa main, tantôt sur ses genoux, tantôt dans sa poche. Catherine semblait inconsciente. Heureusement, le général, tout à son cacao et à ses journaux, n'avait pas le loisir de l'observer. Aux deux autres convives, sa détresse était manifeste. Dès qu'elle put quitter la table, elle voulut s'enfermer chez elle. Mais les filles de service faisaient la chambre, et elle fut obligée de redescendre. En quête de solitude, elle entra au salon. Éléonore et Henry y étaient, qui se consultaient à son sujet. Elle voulut s'excuser et se retirer. On la força amicalement à revenir. Éléonore se mit gentiment à sa disposition, puis sortit avec Henry.

Une demi-heure, elle s'abandonna à son chagrin et à ses réflexions, après quoi elle se sentit capable d'affronter ses amis. Elle ne savait pas encore si elle leur ferait des confidences. Peut-être, si on la pressait, hasarderait-elle une allusion au motif de son trouble. Rien de plus. Mettre en cause une amie, et l'amie qu'avait été pour elle Mlle Thorpe... ! Puis, leur frère était si intimement mêlé à tout cela... Mieux valait ne rien dire. Éléonore et Henry, quand elle alla les rejoindre dans la salle à manger, la regardèrent un peu anxieux. Catherine s'assit. Après un moment de silence, Éléonore interrogea :

— Pas de mauvaises nouvelles de Fullerton, j'espère... M. et Mme Morland, vos frères et vos sœurs, aucun d'eux n'est malade ?

— Non, je vous remercie. (Elle soupirait.) Ils vont tous très bien. La lettre est de mon frère. Elle vient d'Oxford.

Quelques minutes passèrent. Puis Catherine reprit, et ses larmes reparurent :

— Je crois bien que, plus jamais, je ne souhaiterai recevoir une lettre.

— Si j'avais soupçonné que cette lettre contînt quelque fâcheuse nouvelle, dit Henry en fermant le livre qu'il venait d'ouvrir, je ne vous l'aurais pas remise d'un air si joyeux.

— Elle est plus désolante qu'on ne peut se l'imaginer. Le pauvre James est si malheureux ! Bientôt vous saurez pourquoi.

— Avoir une sœur si bonne, si affectueuse, dit Henry avec chaleur, doit être pour lui un grand soulagement à toute peine.

— J'ai une faveur à vous demander, dit Catherine à voix hésitante. Si votre frère venait ici, prévenez-moi – que je puisse partir avant son arrivée.

— Notre frère ! Frédéric !

— Oui. Je serais très triste de vous quitter si vite. Mais il s'est passé quelque chose qui me rendrait trop pénible une rencontre avec le capitaine Tilney.

Éléonore laissa son ouvrage et regarda Catherine avec un étonnement accru. Henry, lui, commençait à soupçonner la vérité. Quelques mots s'échappèrent de ses lèvres et le nom de Mlle Thorpe.

— Comme vous avez l'esprit prompt ! s'écria Catherine. Vous avez deviné. Et pourtant, quand nous en parlions à Bath, vous ne pensiez guère que cela se terminerait ainsi. Isabelle (je ne m'étonne plus de son silence) a délaissé mon frère et va épouser le vôtre. Auriez-vous cru à tant d'inconstance ?

— Je veux croire, en ce qui concerne mon frère, que vous êtes mal renseignée. Je veux croire qu'il n'a pas été la cause déterminante de la déception de M. Morland. Son mariage avec Mlle Thorpe n'est pas probable. Sur ce point vous devez vous tromper. Je suis très affligé que M. Morland… que quelqu'un que vous aimez soit malheureux. Mais ce qui m'étonnerait plus que le reste de l'histoire, c'est que Frédéric épousât Isabelle.

— C'est la vérité cependant. Vous lirez vous-même la lettre de James. Non… Attendez… Il y a une partie… (Se souvenant de la dernière ligne, elle rougit…)

— Voulez-vous nous lire les passages qui concernent mon frère ?

— Non, lisez vous-même, dit Catherine, dont les idées redevenaient plus nettes. Je ne sais pas à quoi je pensais. (Et elle rougit d'avoir rougi.) James entend simplement me donner un bon conseil.

Henry prit la lettre et, l'ayant lue toute, la rendit en disant :

— S'il en est ainsi, je ne puis dire qu'une chose : c'est que je le regrette. Frédéric ne sera pas le premier qui ait choisi une femme avec moins de bon sens que ne l'eût voulu sa famille. Je n'envie sa situation ni d'amoureux ni de fils.

À l'invitation de Catherine, Mlle Tilney lut aussi la lettre, exprima ses regrets avec son étonnement, puis posa quelques questions relatives à la famille et à la fortune de Mlle Thorpe.

— Sa mère est une très bonne femme, fut toute la réponse de Catherine.

— Qu'était son père ?

— Un homme de loi, je crois. Ils habitent à Putney.

— Sont-ils riches ?

— Non, pas très riches. Je crois qu'Isabelle n'a aucune fortune. Mais cela n'a pas d'importance dans votre famille : votre père est si généreux ! Il m'a dit l'autre jour n'accorder de valeur à l'argent que parce que l'argent lui permet de contribuer au bonheur de ses enfants.

Le frère et la sœur se regardèrent.

— Mais, dit Éléonore, serait-ce contribuer au bonheur de Frédéric, que lui permettre d'épouser cette personne ? Si elle avait un peu de sens moral, elle n'aurait pas agi envers votre frère comme elle a fait. Et quel étrange aveuglement chez Frédéric ! Lui qui avait un cœur si orgueilleux, qui trouvait que nulle femme n'était digne qu'on l'aimât !

— C'est justement ce qui me fait douter de l'exactitude de la nouvelle. Quand je pense à ses déclarations d'autrefois, je ne comprends rien à cette histoire. Cependant j'ai trop bonne opinion de la prudence de Mlle Thorpe pour supposer qu'elle ait rompu avec un fiancé avant d'en avoir un autre sous la main. Frédéric est un homme mort. Sa raison est morte. Préparez-vous à accueillir votre belle-sœur, Éléonore, une belle-sœur en qui vous vous délecterez : franche, candide, aux affections vivaces, sans prétention et sans détours.

— Une telle belle-sœur, Henry, serait ma joie, dit Éléonore avec un sourire.

— Mais, peut-être, dit Catherine, quoiqu'elle ait si mal agi avec les miens, agira-t-elle mieux avec votre famille. Maintenant qu'elle a bien l'homme qu'elle aime pourquoi ne serait-elle pas constante ?

— En vérité, je crains qu'elle le soit, dit Henry. Je crains qu'elle soit trop constante, à moins qu'un baronnet se trouve sur sa route ; ce serait la seule chance de Frédéric. J'achèterai la gazette de Bath et y consulterai la liste des arrivants.

— Vous croyez donc que la cause de tout cela soit l'ambition ? Et, ma foi, il est des indices qui sembleraient vous donner raison. En apprenant que mon père assurait à James tel revenu, elle sembla toute désappointée que ce ne fût pas davantage. Jamais je ne me suis méprise à ce point sur le caractère de quelqu'un.

— ... Parmi la grande variété des caractères que vous avez étudiés.

— Mon désappointement et la perte que je fais en elle sont grands. Mais le pauvre James, pourra-t-il jamais se consoler ?

— Votre frère est certainement fort à plaindre en ce moment. Pourtant, malgré l'intérêt que nous portons à ses peines, il ne faut pas que nous fassions trop peu de cas des vôtres. J'imagine qu'en perdant Isabelle il vous semble perdre la moitié de vous-même. Vous sentez en votre cœur un vide que rien ne comblera. Tout vous est fastidieux, et les plaisirs que vous partagiez avec elle – bals, théâtres, concerts – la seule idée vous en est odieuse. Vous êtes persuadée que vous n'aurez désormais plus d'amie à qui vous confier sans réserve, plus d'amie sur qui compter. Vous ressentez tout cela ?

— Non, dit Catherine après avoir réfléchi. Faudrait-il ?... Au vrai, quoique je sois triste de ne plus pouvoir l'aimer, quoique je ne doive plus recevoir de ses nouvelles, ni peut-être la revoir, je ne me sens pas si profondément affligée que je m'y fusse attendue.

— Comme toujours vous sentez de la façon la plus fine. Il est bon de faire une enquête sur de tels sentiments afin de pouvoir les éveiller à leur propre conscience.

Catherine, pour un motif ou pour un autre, se sentit si apaisée à la suite de cette conversation qu'elle ne regretta pas d'avoir été amenée, par le jeu des circonstances, à dire ces choses qu'elle voulait taire.

XXVI

Ce même sujet revint fréquemment dans les conversations de Henry et des deux jeunes filles. Catherine découvrit que ses amis étaient d'accord pour considérer que le nom obscur de Mlle Thorpe et son peu de fortune seraient des obstacles à un mariage avec Frédéric. Ils étaient sûrs que ces deux considérations, indépendamment des critiques qu'on pourrait faire du caractère d'Isabelle, suffiraient à motiver le veto du général : ce qui ne laissait pas de causer à Catherine quelques craintes personnelles. Son nom n'avait pas plus d'éclat, et peut-être avait-elle aussi peu de fortune. Et si l'hoir des Tilney n'avait pas, lui, assez de lustre et de richesses pour ne rien exiger de sa femme, quelles seraient donc les prétentions du frère cadet ? Elle ne parvenait à s'apaiser qu'en songeant à l'affection particulière qu'elle avait su inspirer au général. En raison des sentiments désintéressés dont il avait fait étalage plus d'une fois, elle était bien forcée d'admettre que les questions d'argent lui étaient plus indifférentes que ne le croyaient ses enfants.

Pourtant ceux-ci étaient si convaincus que leur frère n'oserait solliciter en personne le consentement paternel, ils assuraient avec tant d'insistance que l'arrivée de Frédéric n'avait jamais été si peu probable, que la crainte d'avoir brusquement à lui céder la place cessa de hanter Catherine. Mais, comme il n'était pas à prévoir que le capitaine Tilney, quand enfin il présenterait sa requête, dût faire un exposé bien exact de la situation, ne serait-il pas loyal que Henry soumit à son père les renseignements qu'il avait sur Isabelle ? Dès lors, en présence de sérieux éléments d'appréciation, le général ne se buterait plus à un misérable souci financier et pourrait établir son opinion d'une façon impartiale. Elle le dit à Henry. Contrairement à l'attente de Catherine, il ne s'éprit pas de cette idée.

— Non, c'est à Frédéric qu'il appartient de faire l'aveu de sa folie. Il racontera lui-même son histoire.

— Mais il n'en dira que la moitié.

— Un quart suffira.

Deux jours passèrent, qui n'apportèrent point de nouvelles de Frédéric. Le frère et la sœur ne savaient que penser. Il leur semblait tantôt que ce silence prouvait la réalité de l'engagement, tantôt qu'il l'infirmait. Quoique très offensé que son fils négligeât de lui écrire, le général vivait placide. Rendre le séjour de Northanger agréable à Mlle Morland était sa préoccupation capitale. Souvent il formulait des doutes sur la réussite de ses efforts : une vie si unie parmi des personnes toujours les mêmes ne paraissait-elle pas fastidieuse ? Il eût souhaité que les Ladies Fraser fussent dans le pays. De temps à autre, il mettait en avant un projet de dîner d'apparat et, une ou deux fois même, calcula le nombre des couples de danseurs qu'on pourrait recruter à l'environ. Mais qu'organiser d'attrayant à cette morne époque de l'année ? Ni gibier à plume, ni gibier à poil, et les Ladies Fraser n'étaient pas là. Le tout aboutit un beau matin à une proclamation : au prochain séjour de Henry à Woodston, on irait l'y surprendre et manger le mouton avec lui. Henry se déclara très flatté, très heureux. Catherine était enchantée.

— Et quand pensez-vous, monsieur, dit-il à son père, que je puisse espérer ce plaisir ? Pour l'assemblée paroissiale, il faut que je sois lundi à Woodston, et je serai probablement obligé d'y rester deux ou trois jours.

— Bien, bien. Nous irons vous voir un de ces jours-là, au petit bonheur. Il n'y a aucune nécessité de préciser. Vous n'aurez pas à vous déranger. Ne changez rien à vos habitudes. Ce que vous aurez à la maison suffira. Je crois pouvoir répondre de l'indulgence de ces jeunes femmes pour la table d'un célibataire. Voyons... Lundi, vous serez très occupé ; ce ne sera pas pour lundi. Et mardi, je serai très occupé ; j'attends mon intendant de Brockham ; il a son rapport à me faire dans la matinée, et, l'après-midi, je ne puis décemment m'abstenir de paraître au cercle. Réellement, je ne pourrais plus affronter les gens de ma connaissance, si je ne m'y montrais pas ; on sait que je suis dans le pays ; on prendrait fort mal mon abstention ; et ce m'est une règle, miss Morland, de ne jamais blesser un de mes voisins quand, au prix d'un léger sacrifice, je puis m'en dispenser. Ce sont gens d'importance. Deux fois par an, je leur envoie un demi-chevreuil, et je dîne avec eux quand ce m'est possible. Mardi est donc, pour ces motifs, hors de question. Mais mercredi peut-être, Henry, pourrez-vous nous attendre ? Nous serons chez vous de bonne heure, que nous ayons le temps de jeter un coup d'œil autour de nous. Il nous faut deux heures et quarante-cinq minutes, je pense, pour aller à Woodston. Nous monterons en voiture à dix heures. Ainsi, vers une heure moins un quart, mercredi, vous pouvez vous attendre à nous voir.

Un bal même n'aurait pas fait plus de plaisir à Catherine que cette petite excursion ; elle désirait tant connaître Woodston ! Son cœur bondissait encore de joie quand Henry, environ une heure après, entra botté et en manteau, et dit :

— Je viens, jeunes femmes, et sur un mode moralisateur, vous le faire constater : nos plaisirs doivent toujours être payés, et souvent nous donnons l'argent comptant du bonheur immédiat contre une traite sur l'avenir à laquelle le signataire peut fort bien ne pas faire honneur. Mon exemple en témoigne. Du fait que je vous verrai peut-être à Woodston mercredi, ce que le mauvais temps ou vingt autres causes peuvent empêcher, me voilà obligé de partir sur l'heure et deux jours plus tôt que je ne voulais.

— Partir ! dit Catherine, dont la figure s'allongea. Et pourquoi ?

— Pourquoi ? dit Henry. Comment pouvez-vous poser cette question ? Parce qu'il me faut le temps d'affoler ma vieille gouvernante ; parce que je dois faire préparer un dîner pour vous, j'imagine.

— Oh ! ce n'est pas sérieux.

— Si, et triste, en outre ; je préférerais de beaucoup rester ici.

— Pourtant, après ce qu'a dit le général... quand il se montre si particulièrement soucieux de ne vous causer aucun embarras...

Henry se contenta de sourire.

— C'est tout à fait inutile, pour votre sœur et moi, vous le savez bien, et le général a posé pour condition que vous ne prépariez rien d'exceptionnel. Enfin, même s'il n'avait pas fait la moitié des recommandations qu'il a faites, il se consolerait aisément, à sa propre table, de s'être trouvé, une fois par hasard, en présence d'un repas qui ne fût pas succulent.

— Je voudrais pouvoir raisonner comme vous, pour lui et pour moi. Au revoir. Comme c'est demain dimanche, Éléonore, je ne reviendrai pas.

Il partit. C'était pour Catherine une opération plus simple de douter de son propre jugement que du jugement de Henry. Mais la conduite du général ne restait pas moins inexplicable pour elle. Qu'il aimât fort la bonne chère, elle l'avait remarqué sans le secours de personne. Mais pourquoi disait-il une chose alors qu'il en pensait une autre ?... À ce compte, on ne pouvait jamais se comprendre. Qui, sauf Henry, aurait deviné ce que désirait le général ? Du samedi au mercredi, elles seraient privées de la présence de Henry, c'était la finale de ses réflexions, et certainement la lettre du capitaine Tilney allait arriver, et mercredi, elle en était sûre, il pleuvrait. Le passé, le présent, l'avenir étaient également moroses. Son frère était si malheureux ; la perte qu'elle avait faite en Isabelle, si grande ! Éléonore aussi serait moins gaie en l'absence de Henry. Et elle, Catherine, qu'est-ce qui pourrait bien l'amuser ? Elle était blasée sur les joies toujours pareilles que donnent les bois et les pépinières, et l'abbaye maintenant ne l'intéressait pas plus que toute autre demeure. Quelle révolution dans ses idées ! Elle qui avait tant désiré se trouver dans une abbaye ! Son imagination se complaisait à évoquer le décor simple d'un presbytère, quelque Fullerton mieux aménagé. Fullerton avait ses défauts, Woodston n'en avait aucun. Ce mercredi arriverait-il jamais ?

Ce mercredi arriva exactement à son tour dans la semaine. Il arriva par un beau temps. Catherine nageait en plein ciel. Vers dix heures, une voiture à quatre chevaux sortait de l'abbaye. Vingt milles furent franchis, et Northanger pénétra dans Woodston, vaste et populeux bourg agréablement situé. Catherine osait à peine dire combien elle en trouvait agréable le site, car le général semblait avoir honte d'un pays si plat et d'un village moins grand qu'une ville. Mais, en son cœur, elle préférait Woodston à toutes les localités qu'elle eût jamais vues, et elle regardait, admirative, les maisons et jusqu'aux échoppes.

Au bout du village, et un peu à l'écart, s'élevait le presbytère, solide maison de pierre, de construction récente, avec sa marquise et ses portes vertes. Comme la voiture approchait de l'habitation, Henry, avec les compagnons de sa solitude, un jeune terre-neuve de haute race et deux ou trois bassets, s'avança pour la bienvenue.

Catherine était trop troublée en entrant pour rien remarquer ou rien dire, et, quand le général lui demanda son impression, elle n'avait encore nulle notion de la chambre même où elle se trouvait. Regardant alors autour d'elle, elle découvrit que cette chambre était de tous points parfaite. Mais Catherine était trop réservée pour le dire et la froideur de sa louange désappointa le général.

— Nous n'appelons pas cette maison une belle maison. Nous ne la comparons pas à Fullerton et à Northanger. Nous la considérons comme un simple presbytère ; petit, restreint, nous l'avouons, mais peut-être habitable, et, en somme, pas inférieur à la plupart des autres ; bref, je crois qu'il y a peu de presbytères de campagne, en Angleterre, qui lui soient, et de loin, comparables. Quelques améliorations seraient à propos, je suis loin de dire le contraire ; on pourrait peut-être mouvementer la façade par un vitrage en saillie ; mais, entre nous, s'il est quelque chose que je déteste, ce sont bien ces raccommodages-là.

La conversation, grâce à Henry, dévia. On apporta des boissons. Le général ne tarda pas à se rasséréner. Catherine s'acclimatait.

De cette pièce, qui était une somptueuse salle à manger, on sortit pour visiter les appartements. On montra d'abord à Catherine celui du maître de la maison ; pour la circonstance, un ordre minutieux y régnait. Puis on la conduisit dans une vaste pièce vacante, qui serait plus tard le salon et dont les baies s'ouvraient sur un gai paysage de prairies. Spontanément la visiteuse exprima son admiration, et en tout honnête simplicité :

— Oh ! pourquoi ne pas meubler cette pièce, monsieur Tilney ? Quel dommage qu'elle ne soit pas meublée ! C'est la plus jolie chambre que j'aie jamais vue ! C'est la plus jolie chambre du monde !

— J'espère bien, dit le général, épanoui en un sourire, qu'elle ne restera plus vide longtemps il appartient au goût d'une femme de l'aménager.

— Eh bien ! dit Catherine, si la maison était mienne, c'est ici que je me tiendrais toujours... Oh ! parmi les arbres, quelle délicieuse chaumière ! Mais ce sont des pommiers ! Oh ! c'est la plus jolie chaumière...

— Vous l'aimez ? Vous l'approuvez comme détail dans le paysage ? Il suffit... Henry, souvenez-vous. On avait dit à Robinson... Mais maintenant la chaumière reste.

Une amabilité si directe rendit Catherine prudente et, dès lors, silencieuse. Quoique instamment invitée par le général à choisir la couleur dominante du papier et des tentures, rien qui ressemblât à une opinion ne put être tiré d'elle. Son embarras persista jusqu'à ce que l'on fût au grand air et en présence de spectacles nouveaux. Une avenue créée six mois auparavant, par Henry, et qui longeait deux des côtés d'une prairie, l'émerveilla, quoiqu'il n'y eût, là nul arbre qui passât un arbuste en grandeur.

Une flânerie à travers les prés et le village, une visite aux écuries où il s'agissait de constater des perfectionnements, une amusante partie avec une nichée de jeunes chiens capables tout au plus de rouler sur eux-mêmes – et il était quatre heures. (Catherine croyait qu'il était trois heures à peine.) A quatre heures, on devait dîner ; à six, repartir. Jamais jour n'avait été si bref.

Elle remarqua que l'abondance de la chère ne paraissait causer au général aucun étonnement, et qu'il cherchait même des yeux, sur la table voisine, la viande froide qui ne s'y trouvait pas. Les observations de son fils et de sa fille furent différentes : ils l'avaient rarement vu manger de si bon cœur à une autre table que la sienne, et ne l'avaient jamais vu permettre avec tant de mansuétude au beurre fondu d'être huileux.

À six heures, le général ayant pris son café, ils remontèrent en voiture. Il avait eu pour Catherine des attentions à ce point flatteuses et caractéristiques que, si les desseins du fils n'eussent pas été plus obscurs, elle eût quitté Woodston sans que la rendît bien perplexe cette question – quand et dans quelle circonstance y reviendrait-elle ?

XXVII

Le lendemain arrivait cette lettre d'Isabelle :

Bath, avril.

« Ma très chère Catherine, j'ai reçu vos deux gentilles lettres avec le plus grand plaisir, et j'ai à vous adresser mille excuses de n'y avoir pas répondu plus tôt. Je suis vraiment honteuse de ma paresse. Mais, en cet horrible lieu, on ne trouve le temps de rien faire. Presque chaque jour depuis votre départ de Bath, j'ai eu la plume en main pour commencer une lettre ; mais j'ai toujours été empêchée par quelque importun. Écrivez-moi bien vite, je vous en prie, et adressez votre lettre chez moi. Dieu merci, nous quittons cette insipide ville demain. Vous partie, je n'y ai eu aucun plaisir ; il y a ici une poussière intolérable et chacun s'occupe de son départ. Je crois que si je pouvais vous voir, tout m'importerait peu, car vous m'êtes chère au-delà de toute expression. Je suis très inquiète de votre cher frère : nulle nouvelle de lui depuis qu'il est retourné à Oxford, et je crains un malentendu. Vos bienveillants offices arrangeraient tout. Il est le seul homme que j'aie aimé et que je puisse aimer : j'espère que vous saurez l'en convaincre. Les modes du printemps commencent à se dessiner ; les chapeaux sont affreux. J'espère que vous passez agréablement le temps, mais je crains bien que vous ne pensiez jamais à moi. Je ne dirai pas de vos amis de Northanger tout ce que je pourrais en dire, parce que je ne voudrais pas manquer de générosité ou vous mettre en conflit avec ces personnes que vous estimez. Mais il est très difficile de savoir à qui se fier, et les jeunes gens ne connaissent pas deux jours de suite leurs propres intentions. Je me réjouis de le dire : l'homme qu'entre tous j'abhorre a quitté Bath. À cette marque, vous reconnaîtrez le capitaine Tilney qui, avant votre départ, me suivait déjà obstinément, vous vous le rappelez, et m'importunait. Ce fut pis ensuite. Il devint mon ombre. Bien des jeunes filles s'y seraient laissé prendre, car jamais on ne vit attentions pareilles. Mais je connais trop le sexe volage. Le capitaine est parti pour rejoindre son régiment, il y a deux jours. J'espère n'être plus jamais importunée de sa présence. C'est le plus grand fat que j'aie jamais rencontré – et étonnamment désagréable. Les deux derniers jours, il ne quitta pas Charlotte Davis. Je prenais son goût en pitié, encore que ce me fût bien indifférent. La dernière fois que nous nous rencontrâmes, ce fut dans Bath Street. J'entrai immédiatement dans un magasin pour qu'il ne pût pas me parler ; je ne voulais même pas le voir. Il alla ensuite à la Pump-Room. Pour rien au monde, je n'y serais allée à ce moment-là. Quel contraste entre lui et votre frère ! Je vous en prie, envoyez-moi des nouvelles de James. Je suis si malheureuse à cause de lui ! Il ne paraissait pas très bien portant quand il est parti : je ne sais s'il avait pris froid ou s'il avait l'esprit tourmenté. Je lui aurais écrit, mais j'ai égaré son adresse, et, je vous l'ai indiqué plus haut, je crains qu'il y ait eu dans ma conduite quelque chose qu'il ait mal interprété. Je vous en prie, donnez-lui toutes les assurances nécessaires, et, s'il garde encore quelque doute, un mot qu'il m'écrirait ou sa visite à Putney suffira pour tout rétablir. Je n'ai pas été aux Rooms, ces derniers temps, ni au théâtre, sauf, hier soir, avec les Hodge, pour voir une bouffonnerie ; les places étaient à prix réduit. Ils m'avaient tourmentée pour m'y faire aller, et je ne voulais pas qu'ils dissent que je m'enfermais à cause du départ du capitaine Tilney. Nous étions assis près des Mitchell, qui étaient stupéfaits de me voir là. Je savais leur dépit. Pendant un certain temps, ils n'étaient même pas polis avec moi. Maintenant ils sont tout amitié. Mais je ne suis pas assez folle pour être leur dupe. Vous savez que je ne manque pas de bon sens. Anne Mitchell avait voulu mettre un turban semblable au mien, celui que j'avais mis la semaine précédente au concert. C'était devenu sur sa tête une pitoyable chose. À mon visage étrange, cette coiffure seyait, je crois, du moins le capitaine Tilney le disait-il, et il ajoutait que tous les yeux étaient braqués sur moi. Mais c'est le dernier homme que je prendrais au mot. Je ne porte que du pourpre en ce moment. Je sais que cela me rend hideuse, mais tant pis : c'est la couleur favorite de votre cher frère. Ne perdez pas de temps, ma chère, ma douce Catherine, écrivez-lui, écrivez-moi,

» Qui suis à jamais..., etc. »

L'artifice était trop grossier pour en imposer même à Catherine. Elle était choquée de tant d'inconséquence, de contradiction et de fausseté. Elle avait honte d'Isabelle, honte de l'avoir jamais aimée. Ses protestations d'amitié étaient aussi choquantes que ses excuses étaient puériles, ou impudentes ses requêtes. « Écrire à James en sa faveur ! Non ! jamais elle ne parlerait à James d'Isabelle ! »

Elle annonça à Henry, qui revenait de Woodston, et à Éléonore que leur frère était sauf. Elle les félicita en toute candeur et leur lut, indignée, les passages les plus typiques de la lettre. Quand elle eut terminé :

— C'est bien fini pour moi d'Isabelle et de notre amitié. Il faut qu'elle me croie par trop sotte pour m'écrire ainsi. Mais peut-être ceci a-t-il servi à me faire connaître son caractère mieux qu'elle ne connaît le mien. Je vois clair maintenant. C'est une coquette, et son astuce aura été inutile. Je ne crois pas qu'elle ait jamais eu la moindre tendresse pour James ou pour moi, et voudrais ne l'avoir jamais connue.

— Bientôt il en sera comme si vous ne l'aviez jamais connue, dit Henry.

— Il n'y a qu'une chose que je ne puisse comprendre, reprit Catherine. Je vois bien qu'elle avait jeté son dévolu sur le capitaine Tilney et qu'elle a échoué ; mais quel a été le but du capitaine Tilney dans le même temps ? Pourquoi, après lui avoir prodigué assez d'attentions pour la faire se brouiller avec mon frère, s'est-il dérobé ensuite ?

— J'ai peu de chose à dire des motifs qui auraient fait agir Frédéric. Il n'est pas plus dénué de vanité que Mlle Thorpe. Seule différence : il a la tête assez solide pour que sa vanité ne lui ait pas encore été préjudiciable. Si le résultat ne le disculpe pas un peu à vos yeux, à quoi bon chercher les causes ?

— Alors vous n'admettez pas qu'il se soit jamais soucié d'elle ?

— Je ne l'admets point, en effet.

— Et il l'aurait leurrée pour rien, pour le plaisir ?

Henry eut une nutation d'assentiment.

— Eh bien ! alors, dit Catherine, je dois dire que je ne l'aime pas du tout. Quoique cela ait si bien tourné pour nous, je ne l'aime pas du tout. Dans le cas actuel, le mal n'est pas grand, parce que je ne crois pas qu'Isabelle ait un cœur à perdre. Mais supposez qu'il se soit fait aimer d'elle…

— Mais il faudrait d'abord supposer qu'Isabelle eût un cœur à perdre et par conséquent la supposer une créature toute différente – alors on eût sans doute agi autrement envers elle.

— Il est bien naturel que vous défendiez votre frère.

— Si vous ne vous préoccupiez que du vôtre, vous ne prendriez pas au tragique la déception de Mlle Thorpe. Mais vous avez l'esprit tourmenté par un besoin de justice qui vous empêche d'être accessible à de légitimes préoccupations familiales et à la rancune.

L'animosité de Catherine ne pouvait tenir devant les paroles de Henry. Frédéric n'était pas impardonnablement coupable, dont le frère était si charmant. Elle résolut de ne point répondre à la lettre d'Isabelle et essaya de ne plus penser à tout cela.

XXVIII

Peu de temps après, le général fut obligé d'aller à Londres pour une semaine. « Ce lui était une peine que se priver, fût-ce une heure, de la compagnie de miss Morland », et, interpellant ses enfants, il leur recommanda de n'avoir souci que du plaisir de la jeune fille. Du fait de ce départ, Catherine acquit une première notion expérimentale : quelquefois, qui perd gagne. Car maintenant les heures fuyaient joyeuses, le rire était sans contrainte, les repas s'animaient de bonne humeur, les promenades n'étaient plus astreintes à un itinéraire. Liberté délicieuse.

Aussi Northanger et ses habitants lui plaisaient-ils de plus en plus, et, si elle n'avait craint de devoir partir bientôt, elle eût été, chaque minute de chaque jour, parfaitement heureuse. Il y avait maintenant près de quatre semaines qu'elle était à l'abbaye. Peut-être un séjour plus long serait-il indiscret. Cette pensée, qui lui revenait fréquemment à l'esprit, lui était pénible. Elle résolut de parler à Éléonore de son départ, et elle agirait d'après la façon dont ses paroles seraient accueillies.

Plus elle tergiverserait, plus il lui semblerait difficile d'aborder un sujet si délicat. Au premier tête-à-tête qu'elle eut avec Éléonore, elle interrompit son amie au beau milieu d'une phrase sur un sujet tout différent, pour lui dire qu'elle serait forcée de partir bientôt. Éléonore, levant des yeux étonnés, exprima son très vif regret : « Elle avait espéré la garder encore. Par méprise, ou peut-être parce que l'on croit ce que l'on désire, elle s'était imaginé que le séjour de Catherine serait beaucoup plus long, que c'était chose entendue ; et elle ne pouvait s'empêcher de penser que, si M. et Mme Morland se doutaient du plaisir que la famille Tilney avait à la garder, ils seraient trop généreux pour hâter son retour. » Catherine expliqua : « Quant à cela, papa et maman n'étaient pas du tout pressés. Du moment qu'elle était heureuse, ils étaient contents. »

— Alors, puis-je vous demander pourquoi vous êtes si pressée de nous quitter ?

— Je suis ici depuis si longtemps…

— S'il vous est possible d'employer un tel mot, je n'ose insister. Si vous trouvez qu'il y a longtemps…

— Oh ! non pas ! Pour mon propre plaisir, je resterais tout aussi longtemps encore.

Elle venait de comprendre qu'on n'avait pas encore songé à son départ. Cette cause d'inquiétude disparaissant à souhait, certaine autre crainte se dissipa : les façons amicales d'Éléonore, son empressement à la retenir, l'air enchanté de Henry quand on lui apprit que la visiteuse renonçait à s'en aller, tout cela disait assez éloquemment à Catherine que sa présence leur était chère. Elle n'avait plus de désirs, que ce qu'il en faut pour assaisonner le bonheur. Qu'elle fût aimée de Henry, elle n'en doutait presque jamais ; le père et la sœur la chérissaient aussi, elle en était sûre, et souhaitaient qu'elle fît partie de la famille. Ses doutes et ses craintes, elle s'y complaisait plutôt qu'elle n'en souffrait : ils ne touchaient plus au profond d'elle-même.

Henry ne put rester à Northanger au service des jeunes filles, comme son père le lui avait enjoint avant de s'absenter. Appelé à Woodston par les exigences de son ministère, il dut quitter Northanger le samedi et pour une couple de jours. Cette nouvelle absence de Henry, maintenant que le général était loin, n'était pas aussi fâcheuse que la première. Elle atténua la gaieté des deux amies et ne la ruina pas. Elles avaient passé la soirée à travailler ensemble, causant affectueusement ; et il était onze heures, heure tardive à Northanger, quand elles quittèrent la salle à manger, le jour du départ de Henry. Comme elles montaient à leurs chambres, il leur sembla, autant que l'épaisseur des murs permettait de le discerner, qu'une voiture arrivait. Un instant après, la cloche s'ébranlait violemment. La première surprise passée – qui s'était traduite par : « Bonté divine ! Qui est-ce ? » – Éléonore décida que ce devait être son frère aîné ; il arrivait toujours à l'improviste, sinon d'une façon aussi inopportune. Elle redescendit rapidement pour lui souhaiter la bienvenue. Catherine gagna sa chambre. Elle s'ingéniait à se tracer un plan, en prévision d'une prochaine rencontre avec le capitaine Tilney. Pour réagir contre l'impression que la conduite de cet homme lui avait faite, elle se disait qu'il était trop gentleman pour ne pas éviter tout ce qui serait de nature à rendre leurs rapports difficiles. Elle espérait qu'il ne parlerait jamais de Mlle Thorpe, et, en vérité, ce n'était guère à craindre : il devait être trop honteux du rôle qu'il avait joué. Aussi longtemps que ne serait risquée nulle allusion aux incidents de Bath, elle pourrait lui faire bon visage. Qu'Éléonore eût montré tant d'empressement à voir son frère et qu'elle eût tant de choses à lui dire, était à l'éloge du nouveau venu : une demi-heure s'était écoulée, et elle ne reparaissait pas.

Catherine entendit alors des pas dans la galerie. Elle écouta. Tout était redevenu silencieux. À peine s'était-elle convaincue de son erreur qu'un léger bruit la fit de nouveau attentive : on eût dit que quelqu'un touchait la porte ; un instant après, le bruit se répéta. Catherine tremblait un peu à l'idée qu'on s'approchât avec tant de précautions. Mais, résolue à n'être plus dupe des apparences ou de son imagination, elle alla résolument à la porte, l'ouvrit. Éléonore, la seule Éléonore était là. Catherine ne fut tranquillisée que la durée d'un instant : son amie était pâle et agitée. Quoiqu'elle eût évidemment l'intention d'entrer, il semblait qu'elle ne pût faire un pas, puis, dans la chambre, que parler lui fût impossible. Catherine présuma une mauvaise nouvelle relative au capitaine Tilney. Elle ne put exprimer son affliction que par des soins silencieux : elle fit asseoir Éléonore, lui frictionna les tempes avec de l'eau de lavande...

— Ma chère Catherine, il ne faut pas... en vérité, il ne faut pas... Je vais très bien... Ces bontés me bouleversent... Elles me pèsent... Je viens à vous pour un tel message...

— Un message ! à moi ?

— Comment vous dire cela ? Oh ! comment vous le dire ?

Une nouvelle supposition vint à l'esprit de Catherine, qui, devenant aussi pâle que son amie, s'écria :

— C'est un envoyé de Woodston !

— Vous vous trompez, répondit tristement Éléonore. Ce n'est personne de Woodston. C'est mon père lui-même. (Elle avait les yeux baissés et sa voix tremblait.)

Ce retour inopiné suffisait à lui seul à mettre Catherine en détresse. Pendant quelques moments, elle ne songea pas qu'on pût avoir quelque chose de pis à lui annoncer. Elle gardait le silence.

Éléonore, d'une voix encore mal affermie et les yeux toujours baissés, reprit :

— Vous êtes trop bonne, j'en suis sûre, pour m'en vouloir du rôle qui m'est imposé et contre lequel tout en moi proteste. Moi qui vous étais si reconnaissante d'avoir consenti à prolonger votre séjour parmi nous, moi qui espérais vous garder pendant des semaines et des semaines encore, comment vous dire que ce consentement que vous venez à peine de nous accorder restera sans effet ? Comment vous dire que le bonheur que nous donnait votre présence nous le payerons d'une… Mais à quoi servent ces protestations ?… Ma chère Catherine, il faut que nous partions. Mon père s'est ressouvenu d'un engagement qui nous oblige à quitter Northanger dès lundi. Nous allons, pour une quinzaine de jours, chez lord Longtown, près de Hereford. Vous donner des explications, vous faire agréer des excuses, c'est également impossible.

— Ma chère Éléonore, s'écria Catherine, se raidissant contre son émotion, ne vous désolez pas ainsi. Il est naturel qu'un engagement cède devant un engagement antérieur. Je suis triste, très triste d'une séparation si brusque ; mais ne songe nullement à m'en offenser. Je pouvais terminer mon séjour ici, vous le savez, n'importe quand, et j'espère que vous viendrez me voir. Pourrez-vous, à votre retour de chez ce lord, venir à Fullerton ?

— Je ne le pourrai pas, Catherine.

— Ce sera donc quand vous pourrez.

Éléonore resta muette. Les pensées de Catherine se reportèrent vers une question d'un intérêt plus immédiat. Pensant tout haut :

— Lundi… si vite, lundi… et vous partez tous ! Je serai prête. Il suffira que je parte un instant avant vous. N'ayez pas de peine, Éléonore ; je puis très bien m'en aller lundi. Que mon père et ma mère ne soient pas prévenus, cela n'a pas grande importance. Le général, sans doute, me fera accompagner par un domestique jusqu'à mi-chemin. J'arriverai peu après à Salisbury, et, de là, il n'y a plus que neuf milles.

— Ah ! Catherine, si les choses se passaient ainsi, elles me seraient moins pénibles. Cependant ces attentions si naturelles seraient à peine la moitié de ce qui vous est dû. Comment vous dire… ? Votre départ est fixé à demain matin, et vous n'avez pas même le choix du moment. La voiture est commandée ; elle sera ici à sept heures, et aucun domestique ne vous accompagnera. (Catherine s'assit, respirant à peine et incapable de prononcer un mot.) je croyais rêver, et ce que vous ressentez, à juste titre, d'indignation et de chagrin ne peut être pis que ce que j'ai ressenti moi-même en apprenant la décision de mon père. Mais il ne s'agit pas de moi. Oh ! s'il était en mon pouvoir de vous dire quelque chose qui pût atténuer… Mon Dieu ! que vont dire votre père et votre mère ? Vous avoir enlevée à des amis véritables, vous avoir attirée si loin de chez vous, et maintenant vous renvoyer sans même les formes de la politesse ! Chère, chère Catherine, à vous dire ces choses, il me semble être moi-même coupable de l'injure qui vous est faite. Et, cependant, j'espère que vous me pardonnerez : vous êtes depuis assez longtemps dans cette maison pour avoir vu que je n'en suis que la maîtresse nominale et que mon pouvoir y est nul.

— Ai-je offensé le général ? dit faiblement Catherine.

— Hélas ! tout ce que je sais, tout ce dont je puis répondre, c'est que vous n'avez rien pu faire qui soit une cause légitime de mécontentement. Certes, il est hors de lui. Je l'ai rarement vu plus irrité. Quelque chose doit s'être passé qui le trouble à un degré extraordinaire. Il aura éprouvé quelque désappointement, quelque vexation qui paraît être pour lui d'une importance énorme. Mais je puis difficilement supposer que vous y soyez pour quelque chose… À quel titre ?

À grand-peine Catherine parla, et par égard pour Éléonore.

— Certes, dit-elle, si je l'ai offensé, j'en suis très triste. C'est la dernière chose que j'eusse voulue. Mais ne vous désolez pas, Éléonore : un engagement, vous le savez, doit être tenu : je regrette seulement qu'on ne s'en soit pas ressouvenu plus tôt – j'aurais eu le temps d'écrire à la maison. Mais cela n'a guère d'importance.

— J'espère, j'espère vivement que cela n'en aura pas, en ce qui concerne votre sécurité. Mais pour les apparences, les convenances, pour votre famille, pour le monde !… Si, du moins, vos amis Allen étaient encore à Bath, vous les auriez rejoints avec une facilité relative ; en quelques heures, vous étiez auprès d'eux. Mais soixante-dix milles en poste… à votre âge, seule, à l'improviste !

— Oh ! le voyage n'est rien, dit Catherine. N'y pensez pas. Et, puisque nous devons nous quitter, que ce soit quelques heures plus tôt ou plus tard… Je serai prête pour sept heures. Vous me ferez appeler.

Éléonore comprit que Catherine souhaitait être seule, et, sentant que prolonger l'entretien ne pourrait que leur être pénible à toutes deux, la quitta sur ces mots :

— Je vous verrai demain matin.

Catherine avait le cœur gros ; il fallait qu'elle pleurât. Par affection pour Éléonore et par fierté, elle avait retenu ses larmes. Elles s'échappèrent à torrents. Être renvoyée, et de cette manière, sans qu'on alléguât une raison, sans qu'une excuse vînt tempérer des procédés si brusques, si incivils, si grossiers. Henry absent !… Ne pouvoir même lui dire adieu ! Se reverraient-ils jamais ? Et c'était le général Tilney, un homme si courtois et si entiché d'elle jusqu'alors, qui agissait de la sorte ! Non moins incompréhensible que pénible et mortifiant ! D'où venait ce changement d'attitude ? Comment tout cela finirait-il ?

Catherine restait désolément perplexe. Qu'il décidât le départ sans la consulter le moins du monde, sans même sauver les apparences en lui laissant déterminer le moment où elle se mettrait en route et la façon dont elle effectuerait le voyage, que, de deux jours, il choisît le plus proche et, de ce jour, l'heure la plus matinale, comme s'il voulait expressément éviter de la voir, n'était-ce pas lui faire un affront intentionnel ? Elle était bien obligée d'admettre qu'elle eût offensé le général, car, malgré ce qu'avait dit Éléonore, agirait-on ainsi envers une personne contre laquelle on n'aurait aucun grief ?

Tristement s'écoula la nuit. Il ne pouvait être question de sommeil, ni d'un repos qui pût prétendre au nom de sommeil. C'était en cette même chambre où l'imagination l'avait naguère tant tourmentée. Mais la cause de son trouble était maintenant dans la réalité cruelle. Son isolement, l'obscurité de la chambre, l'antiquité de l'abbaye, rien de cela ne provoquait en elle la moindre émotion, et, quoique le vent s'évertuât à des bruits sinistres, Catherine les entendait sans curiosité ni effroi.

Vers six heures, Éléonore entra. Catherine n'avait pas perdu de temps ; elle était presque habillée et sa malle était presque faite. D'abord, elle avait cru que son amie était chargée d'un message conciliatoire. Quoi de plus naturel qu'une colère s'apaisât et fût suivie de regret ? Et elle se demandait dans quelle mesure, après ce qui s'était passé, il convenait qu'elle acceptât des excuses. Mais ni sa clémence, ni sa dignité ne furent mises à l'épreuve : Éléonore n'apportait nul message. Elles parlèrent peu, réfugiées au silence meilleur ; à peine quelques phrases banales. Catherine, tout affairée, achevait sa toilette ; Éléonore, avec plus de bonne volonté que d'expérience, luttait contre la malle. Puis elles quittèrent la chambre. Du seuil, Catherine jeta un dernier regard sur ces choses si connues et qu'elle aimait. En bas, le déjeuner était servi. Elle essaya de manger, autant pour échapper à l'ennui d'en être priée que pour ne pas inquiéter son amie ; mais elle n'avait pas d'appétit. Le contraste qu'elle sentit soudain entre ce déjeuner et celui de la veille lui fut une peine nouvelle. Avec quelle quiétude délicieuse – et décevante ! – elle regardait alors autour d'elle, sensible au charme des moindres choses, et sans imaginer que l'avenir pût rien recéler de plus fâcheux qu'une absence de Henry, vingt-quatre heures. Heureux, heureux déjeuner, car Henry était là, Henry était assis auprès d'elle, Henry la servait ! Catherine s'abandonna longtemps à ces rêveries, sans que l'en vînt distraire un mot de son amie ; celle-ci était non moins absorbée. Le roulement de la voiture les fit tressaillir et les rappela à la réalité. La voiture était là. Les indignes procédés se matérialisaient : Catherine rougit, et d'abord fut tout ressentiment. Éléonore semblait avoir pris une grande détermination :

— Il faut que vous m'écriviez, Catherine, s'écria-t-elle, que vous me donniez de vos nouvelles le plus vite possible. Jusqu'à ce que vous soyez arrivée chez vous, je n'aurai pas une heure de tranquillité. Coûte que coûte, il faut que j'aie une lettre de vous, que je sache que vous êtes arrivée sans encombre à Fullerton. Une lettre, rien de plus, jusqu'à ce que nous puissions correspondre facilement. Adressez-la chez lord Longtown, et, pardonnez-moi de vous le demander, sous le couvert d'Alice.

— Non, Éléonore, si vous n'êtes pas autorisée à recevoir une lettre de moi, il vaut mieux que je ne vous écrive pas. J'arriverai, sans aucun doute, saine et sauve à la maison.

— Je n'ai pas le droit de m'étonner de votre réponse. Je n'insisterai pas. Je me remets à votre bon cœur.

Ces paroles et le regard triste qui les accompagna suffirent à fléchir l'orgueil de Catherine, et elle dit aussitôt :

— Oh ! Éléonore, je vous écrirai.

Il était un autre point délicat que Mlle Tilney était soucieuse d'élucider. Peut-être, absente depuis des semaines, Catherine manquait-elle de l'argent nécessaire aux dépenses du voyage.

Affectueusement Éléonore questionna. Catherine n'avait pas songé à ce détail. En examinant le contenu de sa bourse, elle constata que, sans la prévenance de son amie, elle se serait mise en route sans même l'argent indispensable. Le danger qu'elle avait couru emplissait leur pensée à toutes les deux. Elles parlèrent à peine pendant le temps qu'elles demeurèrent encore ensemble. Ce temps fut court. On vint annoncer que tout était prêt pour le départ. Catherine se leva aussitôt. Leur adieu fut un long, un affectueux, un silencieux embrassement.

Comme elles entraient dans le vestibule, Catherine, incapable de quitter cette maison sans un mot pour celui dont ni l'une ni l'autre n'avaient encore prononcé le nom, s'arrêta ; de ses lèvres tremblantes sortirent des mots à peine intelligibles. « Elle laissait son bon souvenir à son ami absent. » Mais à cette évocation, elle ne put refréner plus longtemps son émoi. Cachant de son mouchoir sa figure en larmes, elle traversa rapidement le vestibule et sauta dans la voiture qui partit aussitôt.

XXIX

Catherine était trop malheureuse pour avoir peur. Le voyage en lui-même ne l'effrayait pas : elle l'entreprit sans en redouter la longueur et comme inconsciente d'être seule. Rencognée dans la voiture, elle sanglotait. Plusieurs milles déjà la séparaient de l'abbaye quand elle leva la tête ; les feuillures du parc n'étaient plus en vue. La route était cette route qu'elle avait parcourue récemment, si joyeuse, lors de son excursion de Woodston : revoir, et durant quatorze milles, ces mêmes choses dont elle avait alors goûté la douceur... Chaque mille qui la rapprochait de Woodston accroissait sa souffrance. On n'était plus maintenant qu'à cinq milles du village. Henry était si près et ne savait rien... Puis la route bifurqua.

La journée qu'elle avait passée à Woodston avait été heureuse entre toutes. C'était là, c'était ce jour-là que le général avait parlé de telle sorte, avait eu une attitude telle, que Catherine s'était convaincue qu'il désirait la voir se marier avec Henry. Oui, il y avait dix jours seulement qu'elle avait été l'objet d'attentions si explicites et si enorgueillissantes. Des allusions trop directes l'avaient même rendue confuse. Et, depuis, qu'avait-elle fait ou qu'avait-elle omis de faire, qui pût expliquer un tel changement ?

La faute unique qu'elle eût commise, il l'ignorait. Seul Henry s'était trouvé dans la confidence de ses affreux soupçons, et elle sentait son secret en sûreté en lui comme en elle. Henry ne pouvait, de propos délibéré, l'avoir trahie. Si, cependant, par une malchance déconcertante, le père avait soupçonné ce qu'elle avait osé penser, ce que même elle avait voulu inquisitorialement contrôler, son indignation s'expliquait. S'il savait qu'elle l'avait cru coupable d'un crime, quoi d'étonnant qu'il l'eût congédiée ? Cette conjecture si pénible pour elle eût élucidé la conduite du général. Mais Catherine ne se résignait pas à la croire plausible.

Quels seraient les sentiments et la contenance de Henry quand, à son retour, il apprendrait l'événement ? C'était la question qui la préoccupait par-dessus tout et qui assiégeait son esprit en alternances douloureuses et consolantes : tantôt elle craignait un placide acquiescement au fait accompli, tantôt elle se laissait aller à l'espoir d'un regret. Sans doute, il n'oserait parler devant le général. Mais à Éléonore... que dirait-il d'elle à Éléonore ?

Dans ces fluctuations, les heures passaient. Abîmée, elle n'avait plus regardé autour d'elle, depuis qu'on s'éloignait de Woodston ; elle n'ait donc plus tentée de vérifier à tout moment si l'on approchait de Fullerton, et aux relais, quoique le paysage fût pour elle nul, elle ne songeait pas à s'ennuyer. Aussi bien, n'avait-elle pas hâte d'être au bout du voyage. Rentrer à Fullerton dans de telles conditions lui gâtait le plaisir de revoir, et après une absence de onze semaines, les êtres qui lui étaient le plus chers. Qu'aurait-elle à dire qui ne fût pour l'humilier ou pour les attrister ? À confesser sa peine, elle l'accroîtrait. Sa famille n'allait-elle pas envelopper dans une aveugle réprobation des innocents et le coupable ? Elle ne saurait dire comme elle les sentait les qualités de Henry et d'Éléonore, et si, à cause de leur père, on se faisait d'eux une opinion défavorable, cela l'atteindrait au cœur.

Sous l'empire de ces sentiments, elle n'avait aucune hâte d'apercevoir tel clocher bien connu qui l'avertirait que la maison n'était plus qu'à vingt milles à peine. En quittant Northanger, elle savait qu'elle se dirigeait vers Salisbury. Mais, dès le premier relais, ce furent les maîtres de poste qui lui apprirent les noms des localités par où elle devait passer : telle était son ignorance. Rien de fâcheux cependant ne survint. Sa jeunesse, ses façons, ses libéralités lui valurent les respectueuses prévenances qui étaient bien dues à une voyageuse comme elle. La voiture ne s'arrêtait que le temps de changer de chevaux, et Catherine fit un voyage d'au moins onze heures sans la moindre alerte. Entre six et sept heures du soir, elle arrivait à Fullerton.

Une héroïne qui, sa carrière finie, rentre au bourg natal, dans le triomphe d'une réputation recouvrée et dans sa gloire de comtesse, parmi le long cortège d'une parenté fastique étalée en des phaétons, voilà un événement auquel la plume se peut complaire. Cela permet tous les développements, et l'auteur participe de l'éclat que l'héroïne irradie. Mon rôle est plus humble : je ramène la mienne seule et en disgrâce, et nul détail merveilleux ne donnerait ici pâture à mon orgueil. Comment hausser au pathos le retour d'une héroïne en chaise de louage ? Le postillon passera donc rapidement parmi les groupes de curieux qui goûtent dans la rue le loisir dominical, et Catherine mettra sans solennité pied à terre.

Mais, pour triste que fût Catherine, son retour préparait à ceux vers qui elle allait une grande joie. Le spectacle d'une voiture de voyage est rare à Fullerton : toute la famille s'était mise à la fenêtre. Que cette voiture s'arrêtât devant la maison, c'était un événement à faire briller tous les yeux et à occuper toutes les pensées, un événement absolument imprévu, sauf pour les deux plus jeunes enfants, un gamin et une fillette de six et de quatre ans, toujours prêts à voir descendre de tous les équipages un frère ou une sœur. Combien heureux le regard qui, le premier, aperçut Catherine, heureuse la voix qui proclama la découverte ! Mais jamais on ne put exactement déterminer si ce bonheur était le lot de George ou celui de Henriette.

Le père, la mère, Sarah, George, Henriette, tous sur le pas de la porte pour l'accueil, formaient un tableau à éveiller en Catherine les plus tendres émotions. Au saut de la voiture, ce furent des embrassades, et chaque baiser causait à l'advenue un soulagement dont la douceur l'étonnait. Ainsi entourée, caressée, elle se sentait même heureuse. Dans l'allégresse de l'amour familial et tout au plaisir de revoir Catherine, on n'avait pas eu le loisir de la curiosité. Mme Morland, qui avait remarqué la pâleur et les yeux battus de la pauvre voyageuse, fit aussitôt servir un thé réconfortant. D'abord, aucune question assez directe pour nécessiter une réponse positive ne fut adressée à Catherine. Mais vint le moment où il fallut qu'elle parlât.

À contre-cœur, Catherine commença alors un récit qui, au bout d'une demi-heure, et grâce à la bonne volonté de l'auditoire, pût devenir une explication. Mais, ce temps écoulé, personne n'était parvenu à discerner la cause de ce retour subit, ni même à grouper logiquement les circonstances qui y avaient présidé. Ces Morland n'étaient pas une race irritable ; ils ne se blessaient pas de la moindre des choses ; une injure n'éveillait pas en eux la haine. Ici, pourtant, il y avait eu un affront qu'on ne pouvait oublier ou pardonner, au moins la première demi-heure. Sans qu'ils éprouvassent aucune rétrospective crainte romanesque au sujet de ce voyage que leur fille avait accompli seule, M. et Mme Morland ne pouvaient s'empêcher de penser qu'il eût pu être fécond en désagréments ; que jamais ils n'eussent souscrit de bonne grâce à une telle expédition ; qu'en obligeant Catherine à l'entreprendre, le général Tilney avait agi sans courtoisie, sans générosité, et que sa conduite n'était pas d'un gentleman et d'un père. Ce qui avait pu provoquer chez lui une telle infraction aux règles de l'hospitalité et modifier si radicalement ses sentiments, ils étaient aussi incapables de le deviner que Catherine elle-même, mais cette incapacité les troubla moins longtemps. Après le chassé-croisé obligatoire des vaines conjectures, ils satisfirent à leur indignation et à leur étonnement par des : « C'est une étrange affaire... Ce général doit être un singulier personnage... » Et, comme Sarah, soucieuse de dissiper le mystère, s'exclamait et conjecturait avec une juvénile ardeur :

— Ma chère, lui dit Mme Morland, vous vous donnez beaucoup trop de mal. Soyez sûre que c'est chose qui ne vaut pas d'être approfondie.

— J'admets que, quand il se souvint de cet engagement antérieur, répliqua Sarah, il ait désiré le départ de Catherine ; mais pourquoi ne pas agir avec courtoisie ?

— Je le regrette pour les jeunes gens, dit simplement Mme Morland. Ils ont dû voir tout cela sous un bien triste jour. Quant au reste, il n'y a plus à s'en occuper pour le moment. Catherine est à la maison, et notre quiétude ne dépend pas du général Tilney.

Catherine soupira.

— Je suis aise, continua la mère philosophe, de n'avoir pas su ce voyage. Mais le voilà fait ! et peut-être n'y a-t-il pas à le regretter. Il est toujours bon que les jeunes gens aient l'occasion de montrer de l'initiative. Vous le savez, ma chère Catherine, vous étiez une pauvre créature fort étourdie ; mais il vous a bien fallu ne pas perdre la tête, cette fois. J'espère que nous constaterons que vous n'avez rien oublié dans les poches d'aucune voiture.

Catherine l'espéra aussi et essaya de prendre quelque intérêt à son perfectionnement intime. Mais vraiment elle n'avait plus de ressort, et, comme bientôt elle n'éprouva d'autre désir que de silence et de solitude, elle se soumit au premier conseil que sa mère lui donna d'aller se coucher de bonne heure. Ses parents, qui voyaient dans sa pâleur la conséquence naturelle de la mortification qu'elle avait subie et des fatigues du voyage, la quittèrent sans mettre en doute qu'elle s'endormît aussitôt, et, le lendemain matin, quoique sa mine ne répondît pas à leurs espérances, ils continuèrent à ne pas soupçonner un mal plus profond.

Aussitôt après le déjeuner, elle voulut tenir la promesse faite à Mlle Tilney. Ainsi se justifiait la confiance d'Éléonore ; le temps, la distance agissaient déjà. Catherine se reprochait d'avoir quitté son amie froidement, de n'avoir pas su apprécier comme il fallait tant de mérites et de bonté, et, toute à sa propre peine, d'avoir été trop indifférente à celle d'Éléonore. La vivacité de ces sentiments fut loin de lui être une aide. Jamais il ne lui avait été plus difficile d'écrire. Composer une lettre qui les conciliât, ces sentiments, avec sa situation, qui exprimât sa gratitude sans regret servile, qui fût réservée sans froideur et sincère sans ressentiment, une lettre dont la lecture ne fît pas de peine à Éléonore, une lettre surtout dont Catherine n'eût pas à rougir si Henry la lisait, le pourrait-elle ? Longtemps elle fut perplexe. Elle reconnut enfin qu'en une lettre brève était son salut. En conséquence, l'argent prêté par Éléonore fut inséré dans un billet où se formulaient, sans plus, quelques remerciements pleins de gratitude et les mille bons souhaits d'un cœur affectueux.

— Singulière amitié, vite conclue, vite rompue, observa Mme Morland, quand Catherine eut cessé d'écrire. Je regrette cette fin, car Mme Allen disait les jeunes gens fort gentils. Et vous n'avez pas eu plus de chance avec votre Isabelle. Pauvre James !... Il faut vivre et apprendre. J'espère que la prochaine fois vous aurez des amis plus dignes d'être aimés.

Catherine, rougissante, répondit avec force :

— Nulle amie plus qu'Éléonore ne peut être digne d'être aimée.

— S'il en est ainsi, ma chère, j'ose dire que vous vous retrouverez un jour ou l'autre ; ne soyez pas inquiète. Il y a dix à parier contre un que vous vous rencontrerez d'ici à quelques années. Et alors, quelle joie ce sera !

Mme Morland n'était pas heureuse dans ses tentatives de consolation. Se revoir dans quelques années... Et Catherine songeait que telle chose pourrait advenir entre temps qui lui fît redouter cette rencontre. Jamais elle ne pourrait oublier Henry Tilney, ou penser à lui avec moins de tendresse ; mais lui, il pourrait l'oublier, et, alors, rencontrer... Ses yeux étaient en larmes. Mme Morland, constatant le médiocre résultat de ses consolations, proposa, comme moyen de réconfort, une visite à Mme Allen.

Les deux maisons n'étaient distantes que d'un quart de mille. Tout en marchant, Mme Morland dit sommairement son avis sur la déception de James :

— Nous sommes tristes pour lui. Mais, d'autre part, que le mariage soit rompu, ce n'est pas un malheur. Il n'y avait pas à se réjouir de ces fiançailles avec une jeune fille que nous connaissions si peu et qui n'avait pas la moindre dot. D'après sa manière d'agir, nous ne pouvons avoir bonne opinion d'elle. En ce moment, le pauvre James souffre, mais cela ne durera pas toujours, et je suis sûre que la sottise de son premier choix l'aura rendu prudent pour toute sa vie.

Cette brève analyse de l'affaire était tout ce que Catherine pouvait supporter. D'autres phrases auraient excédé sa faculté d'attention, et elle eût fort risqué de répondre mal à propos. Elle était absorbée par ses réflexions sur le changement qui s'était fait en elle depuis la dernière fois qu'elle avait parcouru cette route si connue. Il n'y avait pas trois mois, folle de ses espérances, elle faisait ce trajet dix fois par jour, le cœur allègre et libre, escomptant des plaisirs nouveaux. Alors, pas plus qu'elle ne connaissait le malheur, elle ne l'appréhendait. Et maintenant, combien changée !

Elle fut reçue avec joie par les Allen, qui avaient pour elle une profonde amitié. Grande fut leur surprise, ardente leur indignation, à apprendre comment elle avait été traitée, encore que le récit de Mme Morland ne fût pas une peinture outrée ni un savant appel à leur colère.

— Catherine, avait dit Mme Morland, est rentrée à l'improviste hier soir. Elle a fait toute seule le voyage. Samedi soir seulement elle apprit qu'elle devait partir. Car le général Tilney, on ne sait par quelle étrange lubie, fut tout à coup fatigué de la voir là, et il la congédia, pour ainsi dire. Cela avec des façons nullement amicales, je vous assure. Et ce doit être un homme bien singulier. Mais nous sommes si heureux d'avoir Catherine parmi nous !... Et c'est un grand soulagement de découvrir, à l'expérience, qu'elle n'est pas une pauvre petite créature sans ressource, qu'elle sait parfaitement se tirer d'affaire.

M. Allen s'exprima, en l'espèce, avec toute l'émotion d'un ami, et Mme Allen, trouvant ses phrases tout à fait au point, les adopta aussitôt.

L'étonnement, les conjectures et les commentaires de son mari devinrent instantanément siens, agrémentés de cette seule remarque, qu'elle intercalait de place en place dans la conversation :

— Vraiment, le général pousse ma patience à bout !

Ce « vraiment le général pousse ma patience à bout », elle le proféra deux fois encore, sur le mode irrité, après le départ de M. Allen. À la troisième répétition, elle pensait déjà à autre chose, et la quatrième fut immédiatement suivie d'un :

— Que je vous dise, ma chère, ce terrible accroc à ma plus belle malines a été merveilleusement raccommodé à Bath ; c'est à peine si l'on en voit trace. Il faudra que je vous montre cela quelque jour. En somme, Bath est une charmante résidence, Catherine. Je vous assure que cela ne me souriait qu'à moitié de revenir. Les dames Thorpe étaient là : c'était si agréable, n'est-ce pas ? Vous vous rappelez, nous étions si isolées au début.

— Oui, mais cela ne dura pas longtemps, dit Catherine, les yeux brillants à des ressouvenirs.

— Très vrai ! Nous rencontrâmes bientôt Mme Thorpe, et dès lors nous ne désirâmes plus rien. Ma chère, ne trouvez-vous pas que ces gants sont inusables ? Je les ai mis neufs la première fois que nous sommes allées aux Lower Rooms. Vous savez, je les ai beaucoup portés depuis. Vous souvient-il de cette soirée ?

— Si je m'en souviens ? Oh ! certes.

— Elle fut très agréable, n'est-ce pas ? M. Tilney prit le thé avec nous, et j'ai toujours pensé qu'il nous avait été d'un grand secours. Je crois me souvenir que vous avez dansé avec lui ; mais je n'en suis pas très sûre. Ce que je sais, c'est que j'avais mis ma toilette de prédilection.

Catherine se taisait. Après des tentatives de causerie dans différentes directions, Mme Allen réitéra :

— Vraiment, le général pousse ma patience à bout. Qui eût cru cela d'un homme si imposant ? Je ne crois pas, madame Morland, que vous ayez jamais vu homme mieux élevé. Les appartements qu'il occupait furent loués le lendemain même du jour qu'il les quitta, Catherine. Mais rien d'étonnant à cela : Milsom Street... vous savez !...

Comme elles s'en revenaient à la maison, Mme Morland représenta à sa fille le bonheur qu'il y avait à posséder des amis aussi sûrs que M. et Mme Allen, et le peu d'importance qu'on devait accorder aux méchants procédés de vagues amis comme les Tilney. La bonne opinion et l'affection de ses anciens amis ne lui restaient-elles pas ? Tout cela n'était pas dénué de bon sens. Mais il est tel état d'esprit sur quoi le bon sens n'a pas d'empire, et les sentiments de Catherine étaient en désaccord avec tout ce que disait sa mère : c'était précisément de la conduite de ces vagues amis que dépendait son bonheur ; et, tandis que Mme Morland se confirmait dans ses opinions personnelles et les illustrait d'exemples, Catherine pensait qu'« en ce moment » Henry devait arriver à Northanger, qu'« en ce moment », il apprenait son départ, et que peut-être, « en ce moment », ils partaient tous pour Hereford.

XXX

Jamais Catherine n'avait eu des goûts sédentaires, et jamais elle n'avait été très laborieuse. Quoique Mme Morland fût habituée de longue date à ces défauts elle ne fut pas sans remarquer qu'ils s'étaient fort développés : Catherine ne pouvait dix minutes de suite se tenir assise ou vaquer à une occupation ; elle parcourait le jardin, le verger, toujours et toujours, comme si marcher eût été sa seule raison d'être, et il semblait même qu'elle aimât mieux circuler par la maison que de rester, fût-ce un instant, dans la salle commune. Un changement plus grand s'était opéré en elle : elle avait perdu son exubérance. Errante et indolente, elle était encore la charge de la Catherine de naguère : muette et mélancolique, elle en était l'antithèse.

Les deux premiers jours, Mme Morland avait espéré Catherine se rasséréneraít sans son intervention. Comme, après une troisième nuit, la gaîté de Catherine n'avait pas reparu, que son activité continuait à être inutile, qu'elle ne témoignait pas d'un goût plus vif pour la couture, Mme Morland ne put retenir ce reproche amical :

— Ma chère Catherine, je crois que vous êtes en train de devenir trop grande dame. Je ne sais vraiment quand les cravates de ce pauvre Richard seraient faites s'il devait compter sur vous seule. Vous pensez trop à Bath. Il y a temps pour tout, temps pour les bals et les jeux, temps pour le travail. Vous avez eu une longue période de plaisirs ; il faut maintenant que vous essayiez de vous rendre utile.

Catherine prit immédiatement son ouvrage et dit d'une voix éteinte qu'elle ne pensait pas beaucoup à Bath.

— Alors vous vous tourmentez à cause du général Tilney, ce qui est très enfantin, car il y a dix à parier contre un que vous ne le reverrez jamais. Ne vous tourmentez donc pas pour des bagatelles.

Un silence.

— J'espère, ma chère Catherine, que vous ne vous serez pas dégoûtée de la maison, parce qu'elle n'est pas aussi magnifique que Northanger ; votre séjour là-bas aurait été un véritable malheur. Où que vous vous trouviez, vous devriez toujours être satisfaite, mais surtout à la maison, puisque c'est là que vous avez à passer la plus grande partie de votre temps. Je n'ai pas beaucoup aimé, au déjeuner, vous entendre tant parler du pain français de Northanger.

— Ah ! Je ne me soucie guère du pain. Ce que je mange m'est bien indifférent.

— Dans un des livres qui sont là-haut, il y a des pages très justes à propos des jeunes filles que leurs trop belles relations ont dégoûtées de leur intérieur modeste, *Le Miroir*, je crois. Je le chercherai pour vous un de ces jours. Je suis sûre que cette lecture vous fera du bien.

Catherine ne dit plus rien. Faisant effort sur elle-même, elle s'appliquait à son ouvrage ; mais, au bout de quelques minutes, et sans s'en apercevoir, elle redevint inattentive. Elle s'agitait sur sa chaise, oubliant son aiguille. Mme Morland observait les phases de cette rechute : elle était maintenant convaincue de l'exactitude de ses soupçons de tout à l'heure. Elle quitta la chambre pour aller chercher le livre en question, impatiente de combattre si fâcheuse maladie. Elle ne trouva pas immédiatement ce qu'elle cherchait, et, comme d'autres soins encore l'avaient retenue, il s'écoula un quart d'heure avant qu'elle redescendît avec le volume sur lequel elle fondait tant d'espérances. Ce qui l'avait occupée là-haut l'ayant empêchée d'entendre tout autre bruit que celui qu'elle créait elle-même, elle ignorait qu'un visiteur fût arrivé depuis quelques minutes. En rentrant dans la chambre, elle vit un jeune homme qui lui était inconnu. Très respectueusement il se leva, et Catherine le présenta : M. Henry Tilney. Avec une émotion mal contenue, il s'excusa d'être là, reconnaissant qu'après ce qui s'était passé il avait peu de droits à un bon accueil, et il expliqua son intrusion par l'impatience qu'il avait eue de s'assurer que Mlle Morland était arrivée sans encombre chez elle.

Il ne s'adressait pas à un juge inflexible, et Mme Morland n'était pas susceptible de rancune. Loin de les faire pâtir, lui et sa sœur, de la conduite du général, elle n'avait cessé d'être très bien disposée à leur égard. Contente de voir Henry, elle le reçut avec les paroles simples d'une bienveillance sincère. Elle le remercia de la sollicitude qu'il témoignait pour sa fille, l'assura que les amis de ses enfants étaient toujours les bienvenus et le pria de ne plus faire allusion à ce qui s'était passé.

Il n'était pas fâché de se soumettre à cette prière. Quoique très soulagé par une indulgence aussi imprévue, il ne lui aurait pas été possible en ce moment de parler de ces choses. S'étant rassis, il répondit avec une grande déférence à toutes les questions que lui fit Mme Morland sur le temps, les routes. Cependant, l'anxieuse, l'heureuse, la fiévreuse Catherine ne disait mot ; mais ses joues en feu et ses yeux brillants firent espérer à sa mère que la spontanéité charmante de cette visite serait efficace, et joyeusement elle mit de côté le premier volume du Miroir, le réservant pour une autre fois.

Espérant que son mari trouverait des sujets de conversation et saurait mettre à l'aise leur hôte, elle dépêcha à sa recherche un des enfants. M. Morland était sorti. Livrée à elle-même, Mme Morland, au bout d'un quart d'heure, n'eut plus rien à dire. Deux silencieuses minutes passèrent, Henry, se tournant vers Catherine pour la première fois depuis l'entrée de Mme Morland, demanda avec une gaîté soudaine si M. et Mme Allen étaient à Fullerton. Dans l'embarras confus des mots de la réponse, il discerna le sens, qu'un oui eût suffi à donner. Aussitôt il exprima son désir de leur présenter ses respects, et, rougissant un peu, il demanda à Catherine si elle aurait la bonté de lui montrer le chemin.

— Vous apercevez la maison, de cette fenêtre, dit Sarah.

Henry Tilney s'inclina. Mme Morland, d'un signe de tête fit taire Sarah. Elle ne voulait pas empêcher Catherine d'accompagner M. Tilney, pensant que les explications que celui-ci pouvait avoir à donner sur les façons de son père, seraient facilitées par un tête-à-tête. Ils partirent. Mme Morland ne s'était pas trompée : Henry avait, en effet, à donner des explications concernant son père, mais il voulait d'abord s'expliquer lui-même. Il parla donc, et si bien, qu'il semblait à Catherine qu'elle n'entendrait jamais assez des paroles si douces. Elle était sûre maintenant de l'affection de Henry, et il sollicitait la sienne ; mais – ne le savaient-ils pas l'un et l'autre ? – dès longtemps Catherine lui était acquise. À la vérité, s'il l'aimait, s'il se délectait au charme de son caractère et se plaisait fort en sa compagnie, je dois confesser que l'affection de Henry avait eu pour humble origine quelque chose comme un sentiment de gratitude : il l'avait aimée de l'aimer. C'est là une conjoncture toute nouvelle dans le roman et qui fait déchoir terriblement mon héroïne ; si cette conjoncture est nouvelle aussi dans la vie, mettons que j'extravague.

Après une très courte visite à Mme Allen (Henry avait parlé sans bien savoir ce qu'il disait et Catherine, absorbée en son bonheur, avait à peine desserré les lèvres), ils se retrouvèrent seuls, et Catherine sut alors jusqu'à quel point exactement le père avait approuvé la démarche du fils. Quand Henry était revenu de Woodston, il y avait deux jours, le général était allé à sa rencontre et, en termes rudes, l'avait informé du départ de Mlle Morland et lui avait intimé l'ordre de ne plus penser à elle.

Telle était l'autorisation dont pouvait se targuer Henry. Mais, du moins – et, dans sa douleur, elle en éprouvait une joie intime – lui avait-il demandé sa main avant de relater ces faits qui l'eussent peut-être incitée à un refus. À mesure que Henry donnait des détails et exposait les motifs de la conduite de son père, Catherine reprenait de l'assurance : le général n'avait à lui faire grief que d'avoir été la cause involontaire d'une déception que ne pouvait pardonner son orgueil et qu'un orgueil plus haut eût été honteux d'avouer. Elle était coupable uniquement d'être moins riche qu'il n'avait cru. S'imaginant voir en elle une riche héritière, il l'avait comblée de ses prévenances à Bath, l'avait invitée à venir à Northanger et avait décrété qu'elle serait sa bru. Quand il découvrit qu'il s'était mépris, la congédier lui parut la meilleure marque, encore qu'insuffisante, de son ressentiment contre elle et de son mépris pour le Morland.

C'est John Thorpe qui d'abord l'avait trompé. Un soir, au théâtre, le général, voyant son fils s'empresser auprès de Mlle Morland, avait, par hasard, demandé à Thorpe s'il savait d'elle autre chose que son nom. Thorpe, fier d'être l'interlocuteur d'un homme de cette surface, avait été communicatif avec emphase, et, comme alors il s'attendait d'un jour à l'autre à voir Morland demander Isabelle en mariage et qu'il avait, lui, jeté son dévolu sur Catherine, sa vanité le poussa à dire la famille Morland plus riche même que sa vanité déjà et sa cupidité ne s'étaient complu à croire. Sa propre importance exigeait que fût grande l'importance de tous ceux avec qui il frayait, et, à mesure que croissait son intimité avec les gens, croissait aussi leur fortune. Les « espérances » de son ami Morland avaient donc augmenté de jour en jour à partir de la première exagération et plus rapidement encore depuis qu'Isabelle était entrée en scène. Mais, en l'honneur du général Tilney, il doubla la plus haute évaluation antérieure du bénéfice de M. Morland père, tripla sa fortune, abattit la moitié de ses enfants et le lotit d'une tante magnifique. Toute la famille était ainsi exposée en favorable lumière. Pour Catherine, objet spécial de ses propres spéculations et de la curiosité du général, Thorpe avait en réserve d'autres prestiges encore : les dix ou quinze mille livres que son père lui donnerait seraient un joli appoint à l'héritage Allen. L'intimité de Catherine avec les Allen avait, en effet, convaincu Thorpe qu'ils lui laisseraient une part de leur fortune : de là à la présenter comme l'héritière de Fullerton, il n'y avait qu'un pas. Le général s'en était tenu à ces renseignements. Comment eût-il douté de leur authenticité ? L'alliance prochaine de Mlle Thorpe avec un des membres de cette famille et le projet de mariage de Thorpe lui-même avec Mlle Morland, toutes choses dont le narrateur se vantait bien haut, étaient de suffisantes garanties. À cela s'ajoutaient des faits certains : les Allen étaient riches et n'avaient pas d'enfants ; Mlle Morland était sous leur protection et, comme le général put en juger dès qu'il les connut, ils la traitaient avec une bonté paternelle. Sa résolution fut bientôt prise. Il avait déjà, dans l'attitude de son fils, discerné de la sympathie pour Mlle Morland. Plein d'informations précieuses, il se résigna allégrement à ruiner ses plus chères espérances. Vers ce temps, Catherine ne pouvait pas être plus ignorante de ces desseins que Henry et Éléonore. Ceux-ci, ne voyant rien en la situation de Catherine qui pût tant séduire leur père, avaient constaté avec étonnement la spontanéité, la persistance et les progrès de l'intérêt qu'il lui portait. Plus tard, Henry, quand le général lui avait presque intimé l'ordre de se faire aimer de Catherine, avait compris que son père croyait l'alliance avantageuse. Mais, jusqu'à la récente et décisive conversation de Northanger, il n'avait pas su quel était le point de départ de si aventureux calculs. Qu'ils fussent erronés, le général l'avait appris de la personne même qui l'avait induit à les faire. Par hasard, il avait rencontré Thorpe à Londres. Sous l'influence de sentiments diamétralement opposés à ceux de naguère, irrité du refus de Catherine et aussi de l'échec d'une réconciliation tentée entre Morland et Isabelle, rejetant dédaigneusement une amitié qui ne lui était plus utile, Thorpe se hâta de contredire sa version d'autrefois. « Il avait été abusé lui-même : les vantardises de James avaient su lui persuader que M. Morland avait de la fortune et était un homme d'honneur, ce qu'avaient démenti les négociations des deux ou trois semaines dernières. Après avoir débuté par les promesses les plus libérales, mis en demeure de s'exécuter, ce M. Morland avait dû convenir qu'il lui était impossible de donner au jeune couple même le plus mince revenu. Au vrai, c'était une famille misérable, une famille populeuse au-delà de tout exemple, et, comme il avait eu récemment l'occasion de s'en rendre compte, point du tout considérée dans le voisinage. Ils menaient un train de vie que leur situation ne pouvait justifier, cherchaient à se donner du lustre par de belles relations : une race hardie, fanfaronne et intrigante. » Le général terrifié prononça alors le nom d'Allen et son regard interrogeait. Ici encore, Thorpe avait été induit en erreur. Les Allen, croyait-il, avaient vu de trop près les Morland. Thorpe connaissait le jeune homme à qui décidément devait échoir l'héritage de Fullerton.

Le général en avait assez entendu. Furieux contre tous, sauf contre lui-même, il était parti le lendemain pour l'abbaye, où nous l'avons vu à l'œuvre.

De tout cela, je laisse à la sagacité de mon lecteur le soin de déterminer ce qui put être immédiatement communiqué à Catherine, ce que le général avait dit à Henry, ce que celui-ci avait eu à conjecturer pour voir clair dans la situation et ce qui fut ultérieurement connu par une lettre de James. J'ai groupé les faits pour la commodité du lecteur. À lui de les départir pour la mienne. De toute façon, Catherine en savait assez maintenant. Elle en pouvait convenir : quand elle avait soupçonné le général d'un meurtre ou d'une séquestration, elle avait à peine forcé son caractère et exagéré sa cruauté.

Henry souffrait à révéler ces choses autant qu'il avait souffert à les apprendre ; il rougissait de la mesquinerie de son père. La dernière conversation des deux hommes à Northanger avait été fort peu amicale. En apprenant les mauvais procédés dont avait pâti Catherine et en recevant l'ordre de donner un autre cours à ses idées, Henry avait hardiment manifesté son indignation. Le général, habitué à faire la loi chez lui, et nullement préparé à rencontrer une résistance formelle, supporta mal l'opposition de son fils. Mais la colère paternelle, pour violente qu'elle fût, ne pouvait intimider Henry, fort de sa conscience. Il se sentait lié d'honneur à Mlle Morland et il l'aimait. Ce cœur qu'on l'avait poussé à conquérir était maintenant sien.

Froidement, il refusa d'accompagner son père dans le Herefordshire et déclara qu'il allait solliciter la main de Catherine. La colère cramoisissait le général. Ils se quittèrent.

Henry, dans un état d'agitation qui ne se calma qu'après force heures de solitude, était retourné à Woodston aussitôt ; le lendemain après-midi, il s'était mis en route pour Fullerton.

XXX

L'étonnement de M. et Mme Morland, appelés à donner leur consentement au mariage de Catherine avec M. Tilney, fut, quelques minutes, considérable. Il ne leur était pas venu à l'idée que ces jeunes gens pussent s'éprendre. Mais comme, après tout, il était bien naturel que Catherine fût aimée, l'étonnement céda bientôt à une fierté émue. En ce qui les concernait, ils n'avaient aucune objection à faire. Les manières charmantes de Henry, le sérieux de son caractère étaient de bonnes cautions, et, n'ayant jamais entendu rien dire de fâcheux sur son compte, ils n'étaient pas gens à supposer qu'il y eût rien à dire. Certes, Catherine serait une jeune ménagère bien étourdie, déclarait Mme Morland ; mais, ajoutait-elle, rien ne valait la pratique.

En somme, un seul obstacle : mais, jusqu'à ce qu'il fût écarté, les Morland ne consentiraient pas au mariage. S'ils étaient d'humeur douce, leurs principes étaient rigides. Alors que le père de Henry s'opposait à cette union, ils ne pouvaient se permettre de la favoriser. Que le général fît une démarche pour solliciter la main de Catherine, ou même qu'il approuvât chaleureusement le mariage, ils n'en demandaient pas tant ; mais, du moins, ce père devait-il dire oui ; et, dans leur cœur, M. et Mme Morland ne pouvaient admettre que ce oui fût longtemps différé ; une fois cet acquiescement obtenu, ils donneraient le leur avec joie. Ils n'en voulaient certes pas à l'argent du général. D'ailleurs, une considérable fortune reviendrait un jour à Henry et il jouissait déjà d'un revenu qui lui assurait l'indépendance ; du point de vue pécuniaire, cette situation était bien meilleure que celle normalement à laquelle eût pu prétendre Catherine. Les jeunes gens ne s'étonnèrent pas, s'ils les déplorèrent, des réserves de M. et Mme Morland. Ils se séparèrent s'efforçant d'espérer que le général ne s'obstinerait pas ; mais ils connaissaient son entêtement... Henry s'en retourna à Woodston surveiller ses jeunes plants et faire telles innovations qui auraient l'agrément de Catherine. Anxieusement, il aspirait vers le temps où elle serait là. Ne nous soucions pas de savoir si les tourments de l'absence furent adoucis par une correspondance clandestine. Ni M. ni Mme Morland ne s'en occupèrent. Ils avaient eu la gentillesse de ne rien dire à ce sujet, et, lorsque Catherine recevait une lettre, comme il arriva assez souvent, ils regardaient d'un autre côté.

L'inquiétude de Catherine et de Henry ne se communique pas, je le crains, à mes lecteurs, qui, à la concision éloquente des pages qu'ils ont sous les yeux, voient que nous nous hâtons tous vers la félicité parfaite. Les chemins restent seuls douteux. Quelles circonstances pourront agir sur la nature rébarbative du général ? La plus efficace sera le mariage d'Éléonore avec un homme opulent et considérable : accroissement de dignité qui provoqua chez le général une crise de bonne humeur dont il ne guérit pas avant que sa fille eût obtenu qu'il permît à Henry, enfin absous, d'être fol à sa guise.

Le mariage d'Éléonore Tilney avec l'homme qu'elle avait élu, son départ, loin des misères d'un Northanger où n'était plus Henry, pour le foyer de son choix, un tel événement est pour satisfaire tous ceux qui connaissent cette jeune femme. Ma joie à moi est très sincère. Je ne sache personne qui, par ses mérites sans prétention, ait plus de droits au bonheur, et qui soit mieux préparée, par ses tristesses quotidiennes, à en jouir. Leur affection n'était pas récente, et le gentleman qu'elle épousait avait été longtemps empêché de présenter sa requête par l'infériorité de sa condition ; mais son accès inespéré à un titre et à la fortune avait écarté tous obstacles. Jamais le général, aux jours où il avait pour seule compagne Éléonore, aux jours où il mettait à l'épreuve une patience qu'il ne lassait jamais, n'avait aimé autant sa fille que lorsque, pour la première fois, il la salua du titre de vicomtesse. Son mari était réellement digne d'elle. Outre qu'il était pair, riche et qu'il l'aimait, c'était encore le plus charmant jeune homme de la terre. Tout catalogue de ses mérites est, dès lors, inutile. On se représente instantanément le plus charmant jeune homme de la terre. Il me suffira d'ajouter (les règles de la composition m'interdisant d'introduire ici un personnage qui ne soit déjà lié à ma fable) que c'était le même gentleman dont les notes de blanchissage avaient été oubliées à Northanger par un domestique négligent, ces notes qui avaient figuré dans une des plus affreuses aventures de mon héroïne.

L'influence du vicomte et de la vicomtesse, mise au service de leur frère, eut pour adjuvant les si raisonnables conditions de M. Morland, par eux soumises au général dès que celui-ci consentit à écouter. Il apprit ainsi qu'il avait à peine été plus trompé par la première exagération de Thorpe à propos de la fortune des Morland, que par la malveillante façon dont ce même Thorpe avait ensuite anéanti cette fortune. Les Morland n'étaient nullement besogneux : Catherine aurait trois mille livres. C'était là un appoint matériel si inattendu qu'il contribua fort à aplanir l'orgueil de l'homme de Northanger, et les renseignements qu'il se procura secrètement au sujet des terres de Fullerton lui apprirent que M. Allen en avait la propriété sans restreintes et que, par suite, les plus favorables hypothèses étaient licites.

Sous l'empire de ces considérations, le général, peu après le mariage d'Éléonore, autorisa son fils à rentrer à Northanger ; là, il lui donna solennellement lecture d'une lettre par laquelle il envoyait à M. Morland un consentement très affable enveloppé de déclamations redondantes. L'événement suivit bientôt ; Henry et Catherine s'épousèrent, les cloches sonnèrent, tout le monde était souriant, et, comme douze mois ne s'étaient pas écoulés depuis leur première rencontre, il ne semble pas que les délais imposés par la cruauté du général leur eussent porté grand préjudice : entrer dans le bonheur parfait, qui à vingt-six, qui à dix-huit ans, ce n'est pas si mal. Je suis convaincue que les obstacles, loin de nuire à leur félicité, l'assurèrent en les faisant se connaître mieux et en fortifiant leur amour. Je laisse à qui peut s'intéresser à ce genre de spéculations le soin de déterminer si ce livre prône la tyrannie paternelle ou la désobéissance filiale.

FIN

DANS LA MÊME COLLECTION

Abecassis, Adamek, Arnothy, Auduraud, Austen, Balzac, Barbey d'Aurevilly, Bastable, Benjamin, Ben Jelloun, Benzoni, Bertin, Bobin, Bourbon-Busset, Boudard, Boutet, Boutin, Bradberry, Brussolo, Butaux, Chalon, Champagnac, Chantefable, Châtelet, Claus, Delerm, Deniau, De Prada, Descours, Dostoïevski, Dumas, Duquesne, Etchegoyen, Ferney, Gaboriau, Garnier, Goldman, Haasse, Hébert, Huston, James, Joffo, Jacq, Keating, Lagerlöf, Leblanc, Y. Lemoine, Leroux, Livingstone, London, Loti, Général Marbot, Maupassant, Merle, Miquel, Montgomery, de Noailles, Owens, Pancol, Pérez-Reverte, Perrève, Peskov, Pirandello, Pompidou, Pouchkine, Poulin, Powys, Proust, Rachet, Ring, Rouchouse, Salvayre, Sand, Sepulveda, Sévilla, Simenon, Tamaro, Tristan, Vernant, Zola...

Ouvrage réalisé
par Les 3 T Studio
achevé d'imprimer
en septembre 2004
par l' imprimerie Trèfle Communication
pour le compte des éditions TUM
Grand Caractères
à Paris

dépôt légal
septembre 2004
N° d'impression : 6510
(Imprimé en France)